Voltaire

L'Ingénu

Dossier réalisé par
Éloïse Lièvre

Lecture d'image par
Valérie Lagier

Éloïse Lièvre, ancienne élève de l'École normale supérieure, agrégée de lettres modernes, est l'auteur d'une thèse sur l'ensemble de l'œuvre de Marivaux. Dans la collection « La bibliothèque Gallimard », elle a accompagné la lecture de plusieurs textes dramatiques du XVIIIe siècle et proposé une anthologie sur le registre épique. Elle est également l'auteur du chapitre consacré au XVIIIe siècle dans le *Manuel de littérature française*, coédition Bréal/Gallimard Éducation.

Conservateur au musée de Grenoble puis au musée des Beaux-Arts de Rennes, **Valérie Lagier** a organisé de nombreuses expositions d'art moderne et contemporain. Elle a créé, à Rennes, un service éducatif très innovant, et assuré de nombreuses formations d'histoire de l'art pour les enseignants et les étudiants. Elle est l'auteur de plusieurs publications scientifiques et pédagogiques. Elle est actuellement adjointe à la directrice des Études de l'Institut national du Patrimoine à Paris.

Sommaire

L'Ingénu

Histoire véritable tirée des manuscrits du P. Quesnel [1]

1. Le père Pasquier Quesnel, théologien français (1634-1719), condamné comme janséniste.

Chapitre I

Comment le prieur de Notre-Dame de la Montagne et Mademoiselle sa sœur rencontrèrent un Huron[1]

Un jour saint Dunstan[2], Irlandais de nation et saint de profession, partit d'Irlande sur une petite montagne qui vogua vers les côtes de France, et arriva par cette voiture à la baie de Saint-Malo. Quand il fut à bord[3], il donna la bénédiction à sa montagne, qui lui fit de profondes révérences et s'en retourna en Irlande par le même chemin qu'elle était venue.

Dunstan fonda un petit prieuré[4] dans ces quartiers-là et lui donna le nom de *prieuré de la Montagne*, qu'il porte encore, comme un chacun sait.

1. Indien du Canada.
2. Bénédictin (924-988), évêque anglais.
3. Quand il eut abordé.
4. Communauté religieuse dépendant d'une abbaye et dirigée par un prieur ou une prieure.

En l'année 1689[1], le 15 juillet au soir, l'abbé de Kerkabon, prieur de Notre-Dame de la Montagne, se promenait sur le bord de la mer avec Mlle de Kerkabon, sa sœur, pour prendre le frais. Le prieur, déjà un peu sur l'âge, était un très bon ecclésiastique, aimé de ses voisins, après l'avoir été autrefois de ses voisines. Ce qui lui avait donné surtout une grande considération, c'est qu'il était le seul bénéficier[2] du pays qu'on ne fût pas obligé de porter dans son lit quand il avait soupé avec ses confrères. Il savait assez honnêtement de théologie ; et quand il était las de lire saint Augustin[3], il s'amusait avec Rabelais[4] : aussi tout le monde disait du bien de lui.

Mlle de Kerkabon, qui n'avait jamais été mariée, quoiqu'elle eût grande envie de l'être, conservait de la fraîcheur à l'âge de quarante-cinq ans ; son caractère était bon et sensible ; elle aimait le plaisir et était dévote.

Le prieur disait à sa sœur, en regardant la mer : « Hélas ! c'est ici que s'embarqua notre pauvre frère avec notre chère belle-sœur, Mme de Kerkabon sa femme, sur la frégate *L'Hirondelle*, en 1669, pour aller servir en Canada. S'il n'avait pas été tué, nous pourrions espérer de le revoir encore.

— Croyez-vous, disait Mlle de Kerkabon, que notre belle-sœur ait été mangée par les Iroquois[5],

1. Quatre ans après l'abolition de l'édit de Nantes.
2. Qui touche un bénéfice, c'est-à-dire un revenu ecclésiastique.
3. Évêque africain (354-430), docteur et Père de l'Église dont la doctrine, l'augustinisme, influença le jansénisme.
4. Écrivain humaniste français (1494-1553).
5. Indiens ennemis des Hurons.

comme on nous l'a dit ? Il est certain que, si elle n'avait pas été mangée, elle serait revenue au pays. Je la pleurerai toute ma vie : c'était une femme charmante ; et notre frère, qui avait beaucoup d'esprit, aurait fait assurément une grande fortune. »

Comme ils s'attendrissaient l'un et l'autre à ce souvenir, ils virent entrer dans la baie de Rance un petit bâtiment qui arrivait avec la marée : c'était des Anglais qui venaient vendre quelques denrées de leur pays. Ils sautèrent à terre, sans regarder monsieur le prieur ni mademoiselle sa sœur, qui fut très choquée du peu d'attention qu'on avait pour elle.

Il n'en fut pas de même d'un jeune homme très bien fait, qui s'élança d'un saut par-dessus la tête de ses compagnons, et se trouva vis-à-vis mademoiselle. Il lui fit un signe de tête, n'étant pas dans l'usage de faire la révérence. Sa figure et son ajustement[1] attirèrent les regards du frère et de la sœur. Il était nu-tête et nu-jambes, les pieds chaussés de petites sandales, le chef[2] orné de longs cheveux en tresses, un petit pourpoint[3] qui serrait une taille fine et dégagée ; l'air martial et doux. Il tenait dans sa main une petite bouteille d'eau des Barbades[4], et dans l'autre une espèce de bourse dans laquelle était un gobelet et de très bon biscuit de mer. Il parlait français fort intelligiblement. Il présenta de son eau des Barbades à Mlle de Kerkabon et à monsieur son frère ; il en but avec eux ; il leur en fit reboire encore, et tout cela

1. Habit.
2. Tête.
3. Partie haute du costume masculin.
4. Alcool ressemblant au rhum.

d'un air si simple et si naturel que le frère et la sœur en furent charmés. Ils lui offrirent leurs services, en lui demandant qui il était et où il allait. Le jeune homme leur répondit qu'il n'en savait rien, qu'il était curieux, qu'il avait voulu voir comment les côtes de France étaient faites, qu'il était venu, et allait s'en retourner.

Monsieur le prieur, jugeant à son accent qu'il n'était pas anglais, prit la liberté de lui demander de quel pays il était. « Je suis huron », lui répondit le jeune homme.

Mlle de Kerkabon, étonnée et enchantée de voir un Huron qui lui avait fait des politesses, pria le jeune homme à souper ; il ne se fit pas prier deux fois, et tous trois allèrent de compagnie au prieuré de Notre-Dame de la Montagne.

La courte et ronde demoiselle le regardait de tous ses petits yeux, et disait de temps en temps au prieur : « Ce grand garçon-là a un teint de lis et de rose ! qu'il a une belle peau pour un Huron ! — Vous avez raison, ma sœur », disait le prieur. Elle faisait cent questions coup sur coup, et le voyageur répondait toujours fort juste.

Le bruit se répandit bientôt qu'il y avait un Huron au prieuré. La bonne compagnie du canton s'empressa d'y venir souper. L'abbé de Saint-Yves y vint avec mademoiselle sa sœur, jeune Basse-Brette[1], fort jolie et très bien élevée. Le bailli[2], le receveur des tailles[3] et leurs femmes furent du souper. On plaça l'étran-

1. Nom archaïque de l'habitante de la Basse-Bretagne.
2. Juge local.
3. Percepteur des impôts.

ger entre Mlle de Kerkabon et Mlle de Saint-Yves. Tout le monde le regardait avec admiration ; tout le monde lui parlait et l'interrogeait à la fois ; le Huron ne s'en émouvait pas. Il semblait qu'il eût pris pour sa devise celle de milord Bolingbroke[1] : *nihil admirari*[2]. Mais à la fin, excédé de tant de bruit, il leur dit avec assez de douceur, mais avec un peu de fermeté : « Messieurs, dans mon pays on parle l'un après l'autre ; comment voulez-vous que je vous réponde quand vous m'empêchez de vous entendre ? » La raison fait toujours rentrer les hommes en eux-mêmes pour quelques moments. Il se fit un grand silence. Monsieur le bailli, qui s'emparait toujours des étrangers dans quelque maison qu'il se trouvât, et qui était le plus grand questionneur de la province, lui dit en ouvrant la bouche d'un demi-pied[3] : « Monsieur, comment vous nommez-vous ? — On m'a toujours appelé l'*Ingénu*, reprit le Huron, et on m'a confirmé ce nom en Angleterre, parce que je dis toujours naïvement ce que je pense, comme je fais tout ce que je veux.

— Comment, étant né huron, avez-vous pu, monsieur, venir en Angleterre ? — C'est qu'on m'y a mené ; j'ai été fait, dans un combat, prisonnier par les Anglais, après m'être assez bien défendu ; et les Anglais, qui aiment la bravoure, parce qu'ils sont braves et qu'ils sont aussi honnêtes que nous, m'ayant proposé de me rendre à mes parents ou de venir en

1. Homme politique anglais (1678-1751) que Voltaire admire.
2. « Ne s'étonner de rien », devise empruntée au poète latin Horace.
3. 0,324 mètre.

Angleterre, j'acceptai le dernier parti, parce que de mon naturel j'aime passionnément à voir du pays.

— Mais, monsieur, dit le bailli avec son ton imposant, comment avez-vous pu abandonner ainsi père et mère ? — C'est que je n'ai jamais connu ni père ni mère », dit l'étranger. La compagnie s'attendrit, et tout le monde répétait : *Ni père, ni mère !* « Nous lui en servirons, dit la maîtresse de la maison à son frère le prieur ; que ce monsieur le Huron est intéressant ! » L'Ingénu la remercia avec une cordialité noble et fière, et lui fit comprendre qu'il n'avait besoin de rien.

« Je m'aperçois, monsieur l'Ingénu, dit le grave bailli, que vous parlez mieux français qu'il n'appartient à un Huron. — Un Français, dit-il, que nous avions pris dans ma grande jeunesse en Huronie, et pour qui je conçus beaucoup d'amitié, m'enseigna sa langue ; j'apprends très vite ce que je veux apprendre. J'ai trouvé en arrivant à Plymouth[1] un de vos Français réfugiés que vous appelez *huguenots*[2], je ne sais pourquoi ; il m'a fait faire quelques progrès dans la connaissance de votre langue ; et, dès que j'ai pu m'exprimer intelligiblement, je suis venu voir votre pays, parce que j'aime assez les Français quand ils ne font pas trop de questions. »

L'abbé de Saint-Yves, malgré ce petit avertissement, lui demanda laquelle des trois langues lui plaisait davantage, la huronne, l'anglaise ou la française. « La huronne, sans contredit, répondit l'Ingénu. — Est-il

1. Port anglais.
2. Protestants.

possible ? s'écria Mlle de Kerkabon ; j'avais toujours cru que le français était la plus belle de toutes les langues après le bas-breton. »

Alors ce fut à qui demanderait à l'Ingénu comment on disait en huron du tabac, et il répondait *taya* ; comment on disait manger, et il répondait *essenten*. Mlle de Kerkabon voulut absolument savoir comment on disait faire l'amour[1] ; il lui répondit *trovander*, et soutint, non sans apparence de raison, que ces mots-là valaient bien les mots français et anglais qui leur correspondaient. *Trovander* parut très joli à tous les convives.

Monsieur le prieur, qui avait dans sa bibliothèque la grammaire huronne dont le révérend père Sagard-Théodat[2], récollet, fameux missionnaire, lui avait fait présent, sortit de table un moment pour l'aller consulter. Il revint tout haletant de tendresse et de joie. Il reconnut l'Ingénu pour un vrai Huron. On disputa un peu sur la multiplicité des langues, et on convint que, sans l'aventure de la tour de Babel[3], toute la terre aurait parlé français.

L'interrogant[4] bailli, qui jusque-là s'était défié un peu du personnage, conçut pour lui un profond respect ; il lui parla avec plus de civilité qu'auparavant, de quoi l'Ingénu ne s'aperçut pas.

Mlle de Saint-Yves était fort curieuse de savoir

---

1. Signifie encore *faire la cour*. Voltaire joue de l'ambiguïté.
2. Moine franciscain auteur du *Grand voyage au pays des Hurons* et du *Dictionnaire de la langue huronne* (1632).
3. Les hommes la construisirent pour se rapprocher de Dieu, qui les punit en leur faisant parler une multitude de langues.
4. Forme archaïque, qui interroge, interrogateur.

comment on faisait l'amour au pays des Hurons. « En faisant de belles actions, répondit-il, pour plaire aux personnes qui vous ressemblent. » Tous les convives applaudirent avec étonnement. Mlle de Saint-Yves rougit, et fut fort aise. Mlle de Kerkabon rougit aussi, mais elle n'était pas si aise ; elle fut un peu piquée que la galanterie ne s'adressât pas à elle, mais elle était si bonne personne que son affection pour le Huron n'en fut point du tout altérée. Elle lui demanda, avec beaucoup de bonté, combien il avait eu de maîtresses en Huronie. « Je n'en ai jamais eu qu'une, dit l'Ingénu ; c'était Mlle Abacaba, la bonne amie de ma chère nourrice ; les joncs ne sont pas plus droits, l'hermine n'est pas plus blanche, les moutons sont moins doux, les aigles moins fiers, et les cerfs ne sont pas si légers que l'était Abacaba. Elle poursuivait un jour un lièvre dans notre voisinage, environ à cinquante lieues de notre habitation. Un Algonquin[1] mal élevé, qui habitait cent lieues plus loin, vint lui prendre son lièvre ; je le sus, j'y courus, je terrassai l'Algonquin d'un coup de massue, je l'amenai aux pieds de ma maîtresse, pieds et poings liés. Les parents d'Abacaba voulurent le manger, mais je n'eus jamais de goût pour ces sortes de festins ; je lui rendis sa liberté, j'en fis un ami. Abacaba fut si touchée de mon procédé qu'elle me préféra à tous ses amants. Elle m'aimerait encore si elle n'avait pas été mangée par un ours. J'ai puni l'ours, j'ai porté longtemps sa peau, mais cela ne m'a pas consolé. »

Mlle de Saint-Yves, à ce récit, sentait un plaisir

1. Indiens alliés des Hurons contre les Iroquois.

secret d'apprendre que l'Ingénu n'avait eu qu'une maîtresse, et qu'Abacaba n'était plus ; mais elle ne démêlait pas la cause de son plaisir. Tout le monde fixait les yeux sur l'Ingénu ; on le louait beaucoup d'avoir empêché ses camarades de manger un Algonquin.

L'impitoyable bailli, qui ne pouvait réprimer sa fureur de questionner, poussa enfin la curiosité jusqu'à s'informer de quelle religion était monsieur le Huron ; s'il avait choisi la religion anglicane, ou la gallicane[1], ou la huguenote. « Je suis de ma religion, dit-il, comme vous de la vôtre. — Hélas ! s'écria la Kerkabon, je vois bien que ces malheureux Anglais n'ont pas seulement songé à le baptiser. — Eh ! mon Dieu, disait Mlle de Saint-Yves, comment se peut-il que les Hurons ne soient pas catholiques ? Est-ce que les RR.PP.[2] jésuites[3] ne les ont pas tous convertis ? » L'Ingénu l'assura que dans son pays on ne convertissait personne ; que jamais un vrai Huron n'avait changé d'opinion, et que même il n'y avait point dans sa langue de terme qui signifiât *inconstance*. Ces derniers mots plurent extrêmement à Mlle de Saint-Yves.

« Nous le baptiserons, nous le baptiserons, disait la Kerkabon à monsieur le prieur ; vous en aurez l'honneur, mon cher frère ; je veux absolument être sa marraine ; M. l'abbé de Saint-Yves le présentera sur

---

1. Doctrine religieuse prêchant une certaine indépendance à l'égard du pape.
2. Abréviation du titre Révérends Pères.
3. Membres de la Compagnie de Jésus fondée au XVIe siècle par Ignace de Loyola.

les fonts[1] : ce sera une cérémonie bien brillante ; il en sera parlé dans toute la Basse-Bretagne, et cela nous fera un honneur infini. » Toute la compagnie seconda la maîtresse de la maison ; tous les convives criaient : « Nous le baptiserons ! » L'Ingénu répondit qu'en Angleterre on laissait vivre les gens à leur fantaisie. Il témoigna que la proposition ne lui plaisait point du tout, et que la loi des Hurons valait pour le moins la loi des Bas-Bretons ; enfin, il dit qu'il repartait le lendemain. On acheva de vider sa bouteille d'eau des Barbades, et chacun s'alla coucher.

Quand on eut reconduit l'Ingénu dans sa chambre, Mlle de Kerkabon et son amie Mlle de Saint-Yves ne purent se tenir de regarder par le trou d'une large serrure pour voir comment dormait un Huron. Elles virent qu'il avait étendu la couverture du lit sur le plancher, et qu'il reposait dans la plus belle attitude du monde.

Chapitre 2

Le Huron, nommé l'Ingénu, reconnu de ses parents

L'Ingénu, selon sa coutume, s'éveilla avec le soleil au chant du coq, qu'on appelle en Angleterre et en Huronie *la trompette du jour*[2]. Il n'était pas comme la

1. Les fonts baptismaux ; le baptisera.
2. Métaphore shakespearienne, *Hamlet*, acte I, scène 1.

bonne compagnie qui languit dans un lit oiseux[1] jusqu'à ce que le soleil ait fait la moitié de son tour, qui ne peut ni dormir ni se lever, qui perd tant d'heures précieuses dans cet état mitoyen entre la vie et la mort, et qui se plaint encore que la vie est trop courte.

Il avait déjà fait deux ou trois lieues[2], il avait tué trente pièces de gibier à balle seule[3], lorsqu'en rentrant il trouva monsieur le prieur de Notre-Dame de la Montagne et sa discrète sœur, se promenant en bonnet de nuit dans leur petit jardin. Il leur présenta toute sa chasse, et, en tirant de sa chemise une espèce de petit talisman qu'il portait toujours à son cou, il les pria de l'accepter en reconnaissance de leur bonne réception. « C'est ce que j'ai de plus précieux, leur dit-il ; on m'a assuré que je serais toujours heureux tant que je porterais ce petit brimborion[4] sur moi, et je vous le donne afin que vous soyez toujours heureux. »

Le prieur et mademoiselle sourirent avec attendrissement de la naïveté de l'Ingénu. Ce présent consistait en deux petits portraits assez mal faits, attachés ensemble avec une courroie fort grasse.

Mlle de Kerkabon lui demanda s'il y avait des peintres en Huronie. « Non, dit l'Ingénu, cette rareté me vient de ma nourrice ; son mari l'avait eue par conquête, en dépouillant quelques Français du Canada

1. Oisif (figure de l'hypallage puisque c'est la bonne compagnie qui est oisive et non le lit).
2. Environ quatre kilomètres.
3. Avec une seule balle.
4. Petit objet sans valeur.

qui nous avaient fait la guerre ; c'est tout ce que j'en ai su. »

Le prieur regardait attentivement ces portraits ; il changea de couleur, il s'émut, ses mains tremblèrent. « Par Notre-Dame de la Montagne, s'écria-t-il, je crois que voilà le visage de mon frère le capitaine et de sa femme ! » Mademoiselle, après les avoir considérés avec la même émotion, en jugea de même. Tous deux étaient saisis d'étonnement et d'une joie mêlée de douleur ; tous deux s'attendrissaient ; tous deux pleuraient ; leur cœur palpitait ; ils poussaient des cris ; ils s'arrachaient les portraits ; chacun d'eux les prenait et les rendait vingt fois en une seconde ; ils dévoraient des yeux les portraits et le Huron ; ils lui demandaient l'un après l'autre, et tous deux à la fois, en quel lieu, en quel temps, comment ces miniatures étaient tombées entre les mains de sa nourrice ; ils rapprochaient, ils comptaient les temps depuis le départ du capitaine ; ils se souvenaient d'avoir eu nouvelle qu'il avait été jusqu'au pays des Hurons, et que depuis ce temps ils n'en avaient jamais entendu parler.

L'Ingénu leur avait dit qu'il n'avait connu ni père ni mère. Le prieur, qui était homme de sens, remarqua que l'Ingénu avait un peu de barbe ; il savait très bien que les Hurons n'en ont point. « Son menton est cotonné, il est donc fils d'un homme d'Europe. Mon frère et ma belle-sœur ne parurent plus après l'expédition contre les Hurons en 1669 ; mon neveu devait alors être à la mamelle ; la nourrice huronne lui a sauvé la vie et lui a servi de mère. » Enfin, après cent questions et cent réponses, le prieur et sa sœur conclurent que le Huron était leur propre neveu. Ils l'embrassaient en versant des larmes ; et l'Ingénu riait, ne pouvant s'imaginer qu'un Huron fût neveu d'un prieur bas-breton.

Toute la compagnie descendit ; M. de Saint-Yves, qui était grand physionomiste, compara les deux portraits avec le visage de l'Ingénu ; il fit très habilement remarquer qu'il avait les yeux de sa mère, le front et le nez de feu M. Le capitaine de Kerkabon, et des joues qui tenaient de l'un et de l'autre.

Mlle de Saint-Yves, qui n'avait jamais vu le père ni la mère, assura que l'Ingénu leur ressemblait parfaitement. Ils admiraient tous la Providence[1] et l'enchaînement des événements de ce monde. Enfin on était si persuadé, si convaincu de la naissance de l'Ingénu, qu'il consentit lui-même à être neveu de monsieur le prieur, en disant qu'il aimait autant l'avoir pour son oncle qu'un autre.

On alla rendre grâce à Dieu dans l'église de Notre-Dame de la Montagne, tandis que le Huron, d'un air indifférent, s'amusait à boire dans la maison.

Les Anglais qui l'avaient amené, et qui étaient prêts à mettre à la voile, vinrent lui dire qu'il était temps de partir. « Apparemment, leur dit-il, que vous n'avez pas retrouvé vos oncles et vos tantes : je reste ici ; retournez à Plymouth, je vous donne toutes mes hardes[2], je n'ai plus besoin de rien au monde, puisque je suis le neveu d'un prieur. » Les Anglais mirent à la voile, en se souciant fort peu que l'Ingénu eût des parents ou non en Basse-Bretagne.

---

1. Sage gouvernement de Dieu sur la création.
2. Effets personnels, essentiellement habits.

Après que l'oncle, la tante et la compagnie eurent chanté le *Te Deum* ; après que le bailli eut encore accablé l'Ingénu de questions ; après qu'on eut épuisé tout ce que l'étonnement, la joie, la tendresse peuvent faire dire, le prieur de la Montagne et l'abbé de Saint-Yves conclurent à faire baptiser l'Ingénu au plus vite. Mais il n'en était pas d'un grand Huron de vingt-deux ans comme d'un enfant qu'on régénère sans qu'il en sache rien. Il fallait l'instruire, et cela paraissait difficile : car l'abbé de Saint-Yves supposait qu'un homme qui n'était pas né en France n'avait pas le sens commun.

Le prieur fit observer à la compagnie que, si en effet monsieur l'Ingénu, son neveu, n'avait pas eu le bonheur d'être élevé en Basse-Bretagne, il n'en avait pas moins d'esprit ; qu'on en pouvait juger par toutes ses réponses ; et que sûrement la nature l'avait beaucoup favorisé, tant du côté paternel que du maternel.

On lui demanda d'abord s'il avait jamais lu quelque livre. Il dit qu'il avait lu Rabelais traduit en anglais, et quelques morceaux de Shakespeare qu'il savait par cœur ; qu'il avait trouvé ces livres chez le capitaine du vaisseau qui l'avait amené de l'Amérique à Plymouth et qu'il en était fort content. Le bailli ne manqua pas de l'interroger sur ces livres. « Je vous avoue, dit l'Ingénu, que j'ai cru en deviner quelque chose, et que je n'ai pas entendu[1] le reste. »

L'abbé de Saint-Yves, à ce discours, fit réflexion que c'était ainsi que lui-même avait toujours lu, et que la plupart des hommes ne lisaient guère autre-

1. Compris.

ment. « Vous avez sans doute lu la Bible ? dit-il au Huron. — Point du tout, monsieur l'abbé ; elle n'était pas parmi les livres de mon capitaine ; je n'en ai jamais entendu parler. — Voilà comme sont ces maudits Anglais, criait Mlle de Kerkabon ; ils feront plus de cas d'une pièce de Shakespeare, d'un plumbpouding[1] et d'une bouteille de rhum que du Pentateuque[2]. Aussi n'ont-ils jamais converti personne en Amérique. Certainement ils sont maudits de Dieu ; et nous leur prendrons la Jamaïque et la Virginie avant qu'il soit peu de temps. »

Quoi qu'il en soit, on fit venir le plus habile tailleur de Saint-Malo pour habiller l'Ingénu de pied en cap. La compagnie se sépara ; le bailli alla faire ses questions ailleurs. Mlle de Saint-Yves, en partant, se retourna plusieurs fois pour regarder l'Ingénu ; et il lui fit des révérences plus profondes qu'il n'en avait jamais fait à personne en sa vie.

Le bailli, avant de prendre congé, présenta à Mlle de Saint-Yves un grand nigaud de fils qui sortait du collège ; mais à peine le regarda-t-elle, tant elle était occupée de la politesse du Huron.

---

1. Jeu de mots sur *plumpudding*, gâteau anglais ; Voltaire a remplacé *plum* (prune) par *plumb* (plomb). De fait, ce gâteau n'est pas des plus légers.
2. Les cinq premiers livres de la Bible.

Chapitre 3

Le Huron, nommé l'Ingénu, converti

Monsieur le prieur, voyant qu'il était un peu sur l'âge, et que Dieu lui envoyait un neveu pour sa consolation, se mit en tête qu'il pourrait lui résigner[1] son bénéfice s'il réussissait à le baptiser et à le faire entrer dans les ordres.

L'Ingénu avait une mémoire excellente. La fermeté des organes de Basse-Bretagne, fortifiée par le climat du Canada, avait rendu sa tête si vigoureuse que, quand on frappait dessus, à peine le sentait-il ; et, quand on gravait dedans, rien ne s'effaçait ; il n'avait jamais rien oublié. Sa conception était d'autant plus vive et plus nette que, son enfance n'ayant point été chargée des inutilités et des sottises qui accablent la nôtre, les choses entraient dans sa cervelle sans nuage. Le prieur résolut enfin de lui faire lire le Nouveau Testament. L'Ingénu le dévora avec beaucoup de plaisir ; mais, ne sachant ni dans quel temps ni dans quel pays toutes les aventures rapportées dans ce livre étaient arrivées, il ne douta point que le lieu de la scène ne fût en Basse-Bretagne, et il jura qu'il couperait le nez et les oreilles à Caïphe et à Pilate[2] si jamais il rencontrait ces marauds-là.

Son oncle, charmé de ces bonnes dispositions, le

1. Transmettre.
2. Grand prêtre juif et préfet romain de Judée qui livrèrent Jésus au supplice.

mit au fait en peu de temps ; il loua son zèle, mais il lui apprit que ce zèle était inutile, attendu que ces gens-là étaient morts il y avait environ seize cent quatre-vingt-dix années. L'Ingénu sut bientôt presque tout le livre par cœur. Il proposait quelquefois des difficultés qui mettaient le prieur fort en peine. Il était obligé souvent de consulter l'abbé de Saint-Yves qui, ne sachant que répondre, fit venir un jésuite bas-breton pour achever la conversion du Huron.

Enfin la grâce opéra ; l'Ingénu promit de se faire chrétien ; il ne douta pas qu'il ne dût commencer par être circoncis : « Car, disait-il, je ne vois pas dans le livre qu'on m'a fait lire un seul personnage qui ne l'ait été ; il est donc évident que je dois faire le sacrifice de mon prépuce : le plus tôt c'est le mieux. » Il ne délibéra point. Il envoya chercher le chirurgien du village et le pria de lui faire l'opération, comptant réjouir infiniment Mlle de Kerkabon et toute la compagnie quand une fois la chose serait faite. Le frater[1], qui n'avait point encore fait cette opération, en avertit la famille, qui jeta les hauts cris. La bonne Kerkabon trembla que son neveu, qui paraissait résolu et expéditif, ne se fît lui-même l'opération très maladroitement, et qu'il n'en résultât de tristes effets auxquels les dames s'intéressent toujours par bonté d'âme.

Le prieur redressa les idées du Huron ; il lui remontra que la circoncision n'était plus de mode, que le baptême était beaucoup plus doux et plus salutaire, que la loi de grâce n'était pas comme la loi de

1. Nom donné au barbier-chirurgien de village.

rigueur[1]. L'Ingénu, qui avait beaucoup de bon sens et de droiture, disputa, mais reconnut son erreur, ce qui est assez rare en Europe aux gens qui disputent ; enfin il promit de se faire baptiser quand on voudrait.

Il fallait auparavant se confesser, et c'était là le plus difficile. L'Ingénu avait toujours en poche le livre que son oncle lui avait donné. Il n'y trouvait pas qu'un seul apôtre se fût confessé, et cela le rendait très rétif. Le prieur lui ferma la bouche en lui montrant, dans l'épître de saint Jacques le Mineur, ces mots qui font tant de peine aux hérétiques : *Confessez vos péchés les uns aux autres*. Le Huron se tut, et se confessa à un récollet. Quand il eut fini, il tira le récollet du confessionnal, et, saisissant son homme d'un bras vigoureux, il se mit à sa place et le fit mettre à genoux devant lui : « Allons, mon ami, il est dit : *Confessez-vous les uns aux autres* ; je t'ai conté mes péchés, tu ne sortiras pas d'ici que tu ne m'aies conté les tiens. » En parlant ainsi, il appuyait son large genou contre la poitrine de son adverse partie. Le récollet pousse des hurlements qui font retentir l'église. On accourt au bruit, on voit le catéchumène[2] qui gourmait[3] le moine au nom de saint Jacques le Mineur. La joie de baptiser un Bas-Breton huron et anglais était si grande qu'on passa par-dessus ces singularités. Il y eut même beaucoup de théologiens qui pensèrent que la confession n'était pas nécessaire, puisque le baptême tenait lieu de tout.

1. Nouveau Testament et Ancien Testament.
2. Candidat au baptême.
3. Frappait.

On prit jour avec l'évêque de Saint-Malo, qui, flatté, comme on peut le croire, de baptiser un Huron, arriva dans un pompeux équipage, suivi de son clergé. Mlle de Saint-Yves, en bénissant Dieu, mit sa plus belle robe et fit venir une coiffeuse de Saint-Malo, pour briller à la cérémonie. L'interrogant bailli accourut avec toute la contrée. L'église était magnifiquement parée ; mais, quand il fallut prendre le Huron pour le mener aux fonts baptismaux, on ne le trouva point.

L'oncle et la tante le cherchèrent partout. On crut qu'il était à la chasse, selon sa coutume. Tous les conviés à la fête parcoururent les bois et les villages voisins : point de nouvelles du Huron.

On commençait à craindre qu'il ne fût retourné en Angleterre. On se souvenait de lui avoir entendu dire qu'il aimait fort ce pays-là. Monsieur le prieur et sa sœur étaient persuadés qu'on n'y baptisait personne, et tremblaient pour l'âme de leur neveu. L'évêque était confondu et prêt à s'en retourner ; le prieur et l'abbé de Saint-Yves se désespéraient ; le bailli interrogeait tous les passants avec sa gravité ordinaire. Mlle de Kerkabon pleurait ; Mlle de Saint-Yves ne pleurait pas, mais elle poussait de profonds soupirs qui semblaient témoigner son goût pour les sacrements. Elles se promenaient tristement le long des saules et des roseaux qui bordent la petite rivière de Rance, lorsqu'elles aperçurent au milieu de la rivière une grande figure assez blanche, les deux mains croisées sur la poitrine. Elles jetèrent un grand cri et se détournèrent. Mais, la curiosité l'emportant bientôt sur toute autre considération, elles se coulèrent doucement entre les roseaux, et quand elles furent bien sûres de n'être point vues, elles voulurent voir de quoi il s'agissait.

Chapitre 4

L'Ingénu baptisé

Le prieur et l'abbé, étant accourus, demandèrent à l'Ingénu ce qu'il faisait là. « Eh parbleu ! messieurs, j'attends le baptême. Il y a une heure que je suis dans l'eau jusqu'au cou, et il n'est pas honnête de me laisser morfondre.

— Mon cher neveu, lui dit tendrement le prieur, ce n'est pas ainsi qu'on baptise en Basse-Bretagne ; reprenez vos habits et venez avec nous. » Mlle de Saint-Yves, en entendant ce discours, disait tout bas à sa compagne : « Mademoiselle, croyez-vous qu'il reprenne sitôt ses habits ? »

Le Huron cependant repartit au prieur : « Vous ne m'en ferez pas accroire cette fois-ci comme l'autre ; j'ai bien étudié depuis ce temps-là, et je suis très certain qu'on ne se baptise pas autrement. L'eunuque de la reine Candace fut baptisé dans un ruisseau ; je vous défie de me montrer dans le livre que vous m'avez donné qu'on s'y soit jamais pris d'une autre façon. Je ne serai point baptisé du tout, ou je le serai dans la rivière. » On eut beau lui démontrer que les usages avaient changé. L'Ingénu était têtu, car il était breton et huron. Il revenait toujours à l'eunuque de la reine

Candace[1]. Et, quoique mademoiselle sa tante et Mlle de Saint-Yves, qui l'avaient observé entre les saules, fussent en droit de lui dire qu'il ne lui appartenait pas de citer un pareil homme, elles n'en firent pourtant rien, tant était grande leur discrétion. L'évêque vint lui-même lui parler, ce qui est beaucoup ; mais il ne gagna rien : le Huron disputa contre l'évêque.

« Montrez-moi, lui dit-il, dans le livre que m'a donné mon oncle, un seul homme qui n'ait pas été baptisé dans la rivière, et je ferai tout ce que vous voudrez. »

La tante, désespérée, avait remarqué que, la première fois que son neveu avait fait la révérence, il en avait fait une plus profonde à Mlle de Saint-Yves qu'à aucune autre personne de la compagnie ; qu'il n'avait pas même salué monsieur l'évêque avec ce respect mêlé de cordialité qu'il avait témoigné à cette belle demoiselle. Elle prit le parti de s'adresser à elle dans ce grand embarras ; elle la pria d'interposer son crédit pour engager le Huron à se faire baptiser de la même manière que les Bretons, ne croyant pas que son neveu pût jamais être chrétien s'il persistait à vouloir être baptisé dans l'eau courante.

Mlle de Saint-Yves rougit du plaisir secret qu'elle sentait d'être chargée d'une si importante commission. Elle s'approcha modestement de l'Ingénu, et lui serrant la main d'une manière tout à fait noble : « Est-ce que vous ne ferez rien pour moi ? » lui dit-elle ; et,

1. Le moine châtré de la reine d'Éthiopie, épisode rapporté dans les Actes des Apôtres.

en prononçant ces mots, elle baissait les yeux et les relevait avec une grâce attendrissante. « Ah ! tout ce que vous voudrez, mademoiselle, tout ce que vous me commanderez : baptême d'eau, baptême de feu, baptême de sang[1] ; il n'y a rien que je vous refuse. » Mlle de Saint-Yves eut la gloire de faire en deux paroles ce que ni les empressements du prieur, ni les interrogations réitérées du bailli, ni les raisonnements même de monsieur l'évêque n'avaient pu faire. Elle sentit son triomphe ; mais elle n'en sentait pas encore toute l'étendue.

Le baptême fut administré et reçu avec toute la décence, toute la magnificence, tout l'agrément possibles. L'oncle et la tante cédèrent à M. l'abbé de Saint-Yves et à sa sœur l'honneur de tenir l'Ingénu sur les fonts. Mlle de Saint-Yves rayonnait de joie de se voir marraine. Elle ne savait pas à quoi ce grand titre l'asservissait[2] ; elle accepta cet honneur sans en connaître les fatales conséquences.

Comme il n'y eut jamais de cérémonie qui ne fût suivie d'un grand dîner, on se mit à table au sortir du baptême. Les goguenards[3] de Basse-Bretagne dirent qu'il ne fallait pas baptiser son vin[4]. Monsieur le prieur disait que le vin, selon Salomon[5], réjouit le cœur de l'homme. Monsieur l'évêque ajoutait que le patriarche Juda[6] devait lier son ânon à la vigne, et tremper son

1. Autres allusions aux Évangiles.
2. Allusion à l'interdiction pour une marraine d'épouser son filleul.
3. Plaisantins.
4. Mettre de l'eau dans son vin.
5. Allusion au livre de l'Ecclésiaste dans la Bible.
6. Allusion au livre de la Genèse dans la Bible.

manteau dans le sang du raisin, et qu'il était bien triste qu'on n'en pût faire autant en Basse-Bretagne, à laquelle Dieu a dénié les vignes. Chacun tâchait de dire un bon mot sur le baptême de l'Ingénu, et des galanteries à la marraine. Le bailli, toujours interrogant, demandait au Huron s'il serait fidèle à ses promesses. « Comment voulez-vous que je manque à mes promesses, répondit le Huron, puisque je les ai faites entre les mains de Mlle de Saint-Yves ? »

Le Huron s'échauffa ; il but beaucoup à la santé de sa marraine. « Si j'avais été baptisé de votre main, dit-il, je sens que l'eau froide qu'on m'a versée sur le chignon m'aurait brûlé. » Le bailli trouva cela trop poétique, ne sachant pas combien l'allégorie est familière au Canada. Mais la marraine en fut extrêmement contente.

On avait donné le nom d'Hercule[1] au baptisé. L'évêque de Saint-Malo demandait toujours quel était ce patron dont il n'avait jamais entendu parler. Le jésuite, qui était fort savant, lui dit que c'était un saint qui avait fait douze miracles. Il y en avait un treizième qui valait les douze autres, mais dont il ne convenait pas à un jésuite de parler : c'était celui d'avoir changé cinquante filles en femmes en une seule nuit. Un plaisant qui se trouva là releva ce miracle avec énergie. Toutes les dames baissèrent les yeux, et jugèrent à la physionomie de l'Ingénu qu'il était digne du saint dont il portait le nom.

---

1. Nom ironique aux connotations sexuelles pour un nouveau baptisé puisqu'il s'agit du héros païen de la mythologie grecque et non d'un saint.

Chapitre 5

L'Ingénu amoureux

Il faut avouer que depuis ce baptême et ce dîner, Mlle de Saint-Yves souhaita passionnément que monsieur l'évêque la fît encore participante de quelque beau sacrement avec M. Hercule l'Ingénu. Cependant, comme elle était bien élevée et fort modeste, elle n'osait convenir tout à fait avec elle-même de ses tendres sentiments ; mais s'il lui échappait un regard, un mot, un geste, une pensée, elle enveloppait tout cela d'un voile de pudeur infiniment aimable. Elle était tendre, vive et sage.

Dès que monsieur l'évêque fut parti, l'Ingénu et Mlle de Saint-Yves se rencontrèrent sans avoir fait réflexion qu'ils se cherchaient. Ils se parlèrent sans avoir imaginé ce qu'ils se diraient. L'Ingénu lui dit d'abord qu'il l'aimait de tout son cœur, et que la belle Abacaba, dont il avait été fou dans son pays, n'approchait pas d'elle. Mademoiselle lui répondit, avec sa modestie ordinaire, qu'il fallait en parler au plus vite à monsieur le prieur son oncle et à mademoiselle sa tante, et que de son côté elle en dirait deux mots à son cher frère l'abbé de Saint-Yves, et qu'elle se flattait d'un consentement commun.

L'Ingénu lui répond qu'il n'avait besoin du consentement de personne ; qu'il lui paraissait extrêmement ridicule d'aller demander à d'autres ce qu'on devait faire ; que, quand deux parties sont d'accord, on n'a pas besoin d'un tiers pour les accommoder. « Je ne consulte personne, dit-il, quand j'ai envie de déjeuner, ou de chasser, ou de dormir. Je sais bien qu'en amour il n'est pas mal d'avoir le consentement de la personne à qui on en veut ; mais, comme ce n'est ni de mon oncle ni de ma tante que je suis amoureux, ce n'est pas à eux que je dois m'adresser dans cette affaire ; et, si vous m'en croyez, vous vous passerez aussi de M. l'abbé de Saint-Yves. »

On peut juger que la belle Bretonne employa toute la délicatesse de son esprit à réduire son Huron aux termes de la bienséance. Elle se fâcha même, et bientôt se radoucit. Enfin on ne sait comment aurait fini cette conversation, si, le jour baissant, monsieur l'abbé n'avait ramené sa sœur à son abbaye. L'Ingénu laissa coucher son oncle et sa tante, qui étaient un peu fatigués de la cérémonie et de leur long dîner. Il passa une partie de la nuit à faire des vers en langue huronne pour sa bien-aimée : car il faut savoir qu'il n'y a aucun pays de la terre où l'amour n'ait rendu les amants poètes.

Le lendemain, son oncle lui parla ainsi après le déjeuner, en présence de Mlle Kerkabon, qui était tout attendrie : « Le ciel soit loué de ce que vous avez l'honneur, mon cher neveu, d'être chrétien et Bas-Breton ! mais cela ne suffit pas ; je suis un peu sur l'âge ; mon frère n'a laissé qu'un petit coin de terre qui est très peu de chose ; j'ai un bon prieuré : si vous voulez seulement vous faire sous-diacre, comme je l'espère, je vous résignerai mon prieuré, et vous vivrez fort à votre aise, après avoir été la consolation de ma vieillesse. »

L'Ingénu répondit : « Mon oncle, grand bien vous

fasse ! vivez tant que vous pourrez. Je ne sais pas ce que c'est que d'être sous-diacre[1] ni que de résigner ; mais tout me sera bon pourvu que j'aie Mlle de Saint-Yves à ma disposition. — Eh, mon Dieu ! mon neveu, que me dites-vous là ? Vous aimez donc cette belle demoiselle à la folie ? — Oui, mon oncle. — Hélas ! mon neveu, il est impossible que vous l'épousiez. — Cela est très possible, mon oncle ; car non seulement elle m'a serré la main en me quittant, mais elle m'a promis qu'elle me demanderait en mariage ; et assurément je l'épouserai. — Cela est impossible, vous dis-je : elle est votre marraine ; c'est un péché épouvantable à une marraine de serrer la main de son filleul ; il n'est pas permis d'épouser sa marraine ; les lois divines et humaines s'y opposent. — Morbleu ! mon oncle, vous vous moquez de moi ; pourquoi serait-il défendu d'épouser sa marraine, quand elle est jeune et jolie ? Je n'ai point vu dans le livre que vous m'avez donné[2] qu'il fût mal d'épouser les filles qui ont aidé les gens à être baptisés. Je m'aperçois tous les jours qu'on fait ici une infinité de choses qui ne sont point dans votre livre, et qu'on n'y fait rien de tout ce qu'il dit. Je vous avoue que cela m'étonne et me fâche. Si on me prive de la belle Saint-Yves sous prétexte de mon baptême, je vous avertis que je l'enlève et que je me débaptise. »

Le prieur fut confondu ; sa sœur pleura. « Mon cher frère, dit-elle, il ne faut pas que notre neveu se damne ; notre saint-père le pape peut lui donner dis-

---

1. Assistant des prêtres.
2. La Bible.

pense, et alors il pourra être chrétiennement heureux avec ce qu'il aime. » L'Ingénu embrassa sa tante. « Quel est donc, dit-il, cet homme charmant qui favorise avec tant de bonté les garçons et les filles dans leurs amours ? Je veux lui aller parler tout à l'heure. »

On lui expliqua ce que c'était que le pape, et l'Ingénu fut encore plus étonné qu'auparavant. « Il n'y a pas un mot de tout cela dans votre livre, mon cher oncle ; j'ai voyagé, je connais la mer ; nous sommes ici sur la côte de l'Océan, et je quitterais Mlle de Saint-Yves pour aller demander la permission de l'aimer à un homme qui demeure vers la Méditerranée, à quatre cents lieues d'ici, et dont je n'entends point la langue ! Cela est d'un ridicule incompréhensible ! Je vais sur-le-champ chez M. l'abbé de Saint-Yves, qui ne demeure qu'à une lieue de vous, et je vous réponds que j'épouserai ma maîtresse dans la journée. »

Comme il parlait encore, entra le bailli, qui, selon sa coutume, lui demanda où il allait. « Je vais me marier », dit l'Ingénu en courant ; et au bout d'un quart d'heure il était déjà chez sa belle et chère Basse-Brette, qui dormait encore. « Ah ! mon frère, disait Mlle de Kerkabon au prieur, jamais vous ne ferez un sous-diacre de notre neveu. »

Le bailli fut très mécontent de ce voyage : car il prétendait que son fils épousât la Saint-Yves ; et ce fils était encore plus sot et plus insupportable que son père.

Chapitre 6

L'Ingénu court chez sa maîtresse, et devient furieux

À peine l'Ingénu était arrivé, qu'ayant demandé à une vieille servante où était la chambre de sa maîtresse, il avait poussé fortement la porte mal fermée et s'était élancé vers le lit. Mlle de Saint-Yves, se réveillant en sursaut, s'était écriée : « Quoi ! c'est vous ! ah ! c'est vous ! arrêtez-vous, que faites-vous ? » Il avait répondu : « Je vous épouse » ; et en effet il l'épousait, si elle ne s'était pas débattue avec toute l'honnêteté d'une personne qui a de l'éducation.

L'Ingénu n'entendait pas raillerie ; il trouvait toutes ces façons-là extrêmement impertinentes. « Ce n'était pas ainsi qu'en usait Mlle Abacaba, ma première maîtresse ; vous n'avez point de probité ; vous m'avez promis mariage, et vous ne voulez point faire mariage : c'est manquer aux premières lois de l'honneur ; je vous apprendrai à tenir votre parole, et je vous remettrai dans le chemin de la vertu. »

L'Ingénu possédait une vertu mâle et intrépide, digne de son patron Hercule, dont on lui avait donné le nom à son baptême ; il allait l'exercer dans toute son étendue, lorsqu'aux cris perçants de la demoiselle plus discrètement vertueuse accourut le sage abbé de Saint-Yves, avec sa gouvernante, un vieux domestique dévot et un prêtre de la paroisse. Cette vue modéra le courage de l'assaillant. « Eh, mon Dieu ! mon cher voisin, lui dit l'abbé, que faites-vous là ? — Mon devoir, répliqua le jeune homme ; je remplis mes promesses, qui sont sacrées. »

Mlle de Saint-Yves se rajusta en rougissant. On emmena l'Ingénu dans un autre appartement. L'abbé lui remontra l'énormité du procédé. L'Ingénu se défendit sur les privilèges de la loi naturelle[1], qu'il connaissait parfaitement. L'abbé voulut prouver que la loi positive[2] devait avoir tout l'avantage, et que, sans les conventions faites entre les hommes, la loi de nature ne serait presque jamais qu'un brigandage naturel. « Il faut, lui disait-il, des notaires, des prêtres, des témoins, des contrats, des dispenses. » L'Ingénu lui répondit par la réflexion que les sauvages ont toujours faite : « Vous êtes donc de bien malhonnêtes gens, puisqu'il faut entre vous tant de précautions. »

L'abbé eut de la peine à résoudre cette difficulté. « Il y a, dit-il, je l'avoue, beaucoup d'inconstants et de fripons parmi nous, et il y en aurait autant chez les Hurons s'ils étaient rassemblés dans une grande ville ; mais aussi il y a des âmes sages, honnêtes, éclairées, et ce sont ces hommes-là qui ont fait les lois. Plus on est homme de bien, plus on doit s'y soumettre ; on donne l'exemple aux vicieux, qui respectent un frein que la vertu s'est donné elle-même. »

Cette réponse frappa l'Ingénu. On a déjà remarqué qu'il avait l'esprit juste. On l'adoucit par des paroles flatteuses ; on lui donna des espérances : ce sont les deux pièges où les hommes des deux hémisphères se prennent ; on lui présenta même Mlle de Saint-Yves,

---

1. Celle à laquelle obéit l'individu pour satisfaire ses besoins et ses instincts naturels.
2. Loi sociale qui régule la loi naturelle.

quand elle eut fait sa toilette[1]. Tout se passa avec la plus grande bienséance. Mais, malgré cette décence, les yeux étincelants de l'Ingénu Hercule firent toujours baisser ceux de sa maîtresse, et trembler la compagnie.

On eut une peine extrême à le renvoyer chez ses parents. Il fallut encore employer le crédit de la belle Saint-Yves ; plus elle sentait son pouvoir sur lui, et plus elle l'aimait. Elle le fit partir, et en fut très affligée ; enfin, quand il fut parti, l'abbé, qui non seulement était le frère très aîné de Mlle de Saint-Yves, mais qui était aussi son tuteur, prit le parti de soustraire sa pupille aux empressements de cet amant redoutable. Il alla consulter le bailli, qui, destinant toujours son fils à la sœur de l'abbé, lui conseilla de mettre la pauvre fille dans une communauté[2]. Ce fut un coup terrible : une indifférente qu'on mettrait au couvent jetterait les hauts cris ; mais une amante, et une amante aussi sage que tendre, c'était de quoi la mettre au désespoir.

L'Ingénu, de retour chez le prieur, raconta tout avec sa naïveté ordinaire. Il essuya les mêmes remontrances, qui firent quelque effet sur son esprit, et aucun sur ses sens ; mais le lendemain, quand il voulut retourner chez sa belle maîtresse pour raisonner avec elle sur la loi naturelle et sur la loi de convention, monsieur le bailli lui apprit avec une joie insultante qu'elle était dans un couvent. « Eh bien ! dit-il, j'irai raisonner dans ce couvent. — Cela ne se peut »,

1. Quand elle fut habillée.
2. Couvent.

dit le bailli. Il lui expliqua fort au long ce que c'était qu'un couvent ou un convent ; que ce mot venait du latin *conventus*, qui signifie assemblée ; et le Huron ne pouvait comprendre pourquoi il ne pouvait pas être admis dans l'assemblée. Sitôt qu'il fut instruit que cette assemblée était une espèce de prison où l'on tenait les filles renfermées, chose horrible, inconnue chez les Hurons et chez les Anglais, il devint aussi furieux que le fut son patron Hercule lorsque Euryte [1], roi d'Œchalie, non moins cruel que l'abbé de Saint-Yves, lui refusa la belle Iole sa fille, non moins belle que la sœur de l'abbé. Il voulait aller mettre le feu au couvent, enlever sa maîtresse, ou se brûler avec elle. Mlle de Kerkabon, épouvantée, renonçait plus que jamais à toutes les espérances de voir son neveu sous-diacre, et disait en pleurant qu'il avait le diable au corps depuis qu'il était baptisé.

Chapitre 7

L'Ingénu repousse les Anglais

L'Ingénu, plongé dans une sombre et profonde mélancolie, se promena vers le bord de la mer, son fusil à deux coups sur l'épaule, son grand coutelas au côté, tirant de temps en temps sur quelques oiseaux, et souvent tenté de tirer sur lui-même ; mais il aimait

1. Dans la mythologie grecque, ce roi avait promis sa fille à celui qui le vaincrait au tir à l'arc. Hercule réussit, mais le roi ne tint pas sa promesse. Hercule le tua et enleva sa fille.

encore la vie, à cause de Mlle de Saint-Yves. Tantôt il maudissait son oncle, sa tante, et toute la Basse-Bretagne, et son baptême ; tantôt il les bénissait puisqu'ils lui avaient fait connaître celle qu'il aimait. Il prenait sa résolution d'aller brûler le couvent, et il s'arrêtait tout court, de peur de brûler sa maîtresse. Les flots de la Manche ne sont pas plus agités par les vents d'est et d'ouest que son cœur l'était par tant de mouvements contraires.

Il marchait à grands pas, sans savoir où, lorsqu'il entendit le son du tambour. Il vit de loin tout un peuple dont une moitié courait au rivage, et l'autre s'enfuyait.

Mille cris s'élèvent de tous côtés ; la curiosité et le courage le précipitent à l'instant vers l'endroit d'où partaient ces clameurs ; il y vole en quatre bonds. Le commandant de la milice[1], qui avait soupé avec lui chez le prieur, le reconnut aussitôt ; il court à lui, les bras ouverts : « Ah ! c'est l'Ingénu, il combattra pour nous. » Et les milices, qui mouraient de peur, se rassurèrent et crièrent aussi : « C'est l'Ingénu ! c'est l'Ingénu ! »

« Messieurs, dit-il, de quoi s'agit-il ? Pourquoi êtes-vous si effarés ? A-t-on mis vos maîtresses dans des couvents ? » Alors cent voix confuses s'écrient : « Ne voyez-vous pas les Anglais qui abordent ? — Eh bien ! répliqua le Huron, ce sont de braves gens ; ils ne m'ont jamais proposé de me faire sous-diacre ; ils ne m'ont point enlevé ma maîtresse. »

Le commandant lui fit entendre que les Anglais

1. Troupes de police volontaires.

venaient piller l'abbaye de la Montagne, boire le vin de son oncle, et peut-être enlever Mlle de Saint-Yves; que le petit vaisseau sur lequel il avait abordé en Bretagne n'était venu que pour reconnaître la côte; qu'ils faisaient des actes d'hostilité sans avoir déclaré la guerre au roi de France, et que la province était exposée. « Ah! si cela est, ils violent la loi naturelle; laissez-moi faire; j'ai demeuré longtemps parmi eux, je sais leur langue, je leur parlerai; je ne crois pas qu'ils puissent avoir un si méchant dessein. »

Pendant cette conversation, l'escadre[1] anglaise approchait; voilà le Huron qui court vers elle, se jette dans un petit bateau, arrive, monte au vaisseau amiral, et demande s'il est vrai qu'ils viennent ravager le pays sans avoir déclaré la guerre honnêtement. L'amiral et tout son bord firent de grands éclats de rire, lui firent boire du punch, et le renvoyèrent.

L'Ingénu, piqué, ne songea plus qu'à se bien battre contre ses anciens amis pour ses compatriotes et pour monsieur le prieur. Les gentilshommes du voisinage accouraient de toutes parts: il se joint à eux; on avait quelques canons; il les charge, il les pointe, il les tire l'un après l'autre. Les Anglais débarquent; il court à eux, il en tue trois de sa main, il blesse même l'amiral qui s'était moqué de lui. Sa valeur anime le courage de toute la milice; les Anglais se rembarquent, et toute la côte retentissait des cris de victoire: « Vive le roi! vive l'Ingénu! » Chacun l'embrassait, chacun s'empressait d'étancher le sang de quelques blessures légères qu'il avait reçues. « Ah!

1. Division de force navale.

disait-il, si Mlle de Saint-Yves était là, elle me mettrait une compresse. »

Le bailli, qui s'était caché dans sa cave pendant le combat, vint lui faire compliment comme les autres. Mais il fut bien surpris quand il entendit Hercule l'Ingénu dire à une douzaine de jeunes gens de bonne volonté, dont il était entouré : « Mes amis, ce n'est rien d'avoir délivré l'abbaye de la Montagne ; il faut délivrer une fille. » Toute cette bouillante jeunesse prit feu à ces seules paroles. On le suivait déjà en foule, on courait au couvent. Si le bailli n'avait pas sur-le-champ averti le commandant, si on n'avait pas couru après la troupe joyeuse, c'en était fait. On ramena l'Ingénu chez son oncle et sa tante, qui le baignèrent de larmes de joie et de tendresse.

« Je vois bien que vous ne serez jamais ni sous-diacre, ni prieur, lui dit l'oncle ; vous serez un officier encore plus brave que mon frère le capitaine, et probablement aussi gueux[1]. » Et Mlle de Kerkabon pleurait toujours en l'embrassant, et en disant : « Il se fera tuer comme mon frère ; il vaudrait bien mieux qu'il fût sous-diacre. »

L'Ingénu, dans le combat, avait ramassé une grosse bourse remplie de guinées[2], que probablement l'amiral avait laissée tomber. Il ne douta pas qu'avec cette bourse il ne pût acheter toute la Basse-Bretagne, et surtout faire Mlle de Saint-Yves grande dame. Chacun l'exhorta de faire le voyage de Versailles, pour y recevoir le prix de ses services. Le commandant,

1. Pauvre.
2. Monnaie anglaise de l'époque.

les principaux officiers, le comblèrent de certificats. L'oncle et la tante approuvèrent le voyage du neveu. Il devait être, sans difficulté, présenté au roi : cela seul lui donnerait un prodigieux relief dans la province. Ces deux bonnes gens ajoutèrent à la bourse anglaise un présent considérable de leurs épargnes. L'Ingénu disait en lui-même : « Quand je verrai le roi je lui demanderai Mlle de Saint-Yves en mariage, et certainement il ne me refusera pas. » Il partit donc aux acclamations de tout le canton, étouffé d'embrassements, baigné des larmes de sa tante, béni par son oncle, et se recommandant à la belle Saint-Yves.

Chapitre 8

L'Ingénu va en cour. Il soupe en chemin avec des huguenots

L'Ingénu prit le chemin de Saumur par le coche[1], parce qu'il n'y avait point alors d'autre commodité. Quand il fut à Saumur, il s'étonna de trouver la ville presque déserte, et de voir plusieurs familles qui déménageaient. On lui dit que, six ans auparavant, Saumur contenait plus de quinze mille âmes, et qu'à présent il n'y en avait pas six mille. Il ne manqua pas d'en parler à souper dans son hôtellerie. Plusieurs protestants étaient à table ; les uns se plaignaient amèrement, d'autres frémissaient de colère, d'autres

1. Voiture à cheval.

disaient en pleurant: *Nos dulcia linquimus arva, nos patriam fugimus*[1]. L'Ingénu, qui ne savait pas le latin, se fit expliquer ces paroles, qui signifient: « Nous abandonnons nos douces campagnes, nous fuyons notre patrie. »

« Et pourquoi fuyez-vous votre patrie, messieurs ? — C'est qu'on veut que nous reconnaissions le pape. — Et pourquoi ne le reconnaîtriez-vous pas ? Vous n'avez donc point de marraines que vous vouliez épouser ? car on m'a dit que c'était lui qui en donnait la permission. — Ah ! monsieur, ce pape dit qu'il est le maître du domaine des rois ! — Mais, messieurs, de quelle profession êtes-vous ? — Monsieur, nous sommes pour la plupart des drapiers et des fabricants. — Si votre pape dit qu'il est le maître de vos draps et de vos fabriques, vous faites très bien de ne le pas reconnaître ; mais pour les rois, c'est leur affaire : de quoi vous mêlez-vous ? » Alors un petit homme noir prit la parole, et exposa très savamment les griefs[2] de la compagnie. Il parla de la révocation de l'édit de Nantes[3] avec tant d'énergie, il déplora d'une manière si pathétique le sort de cinquante mille familles fugitives et de cinquante mille autres converties par les dragons[4], que l'Ingénu à son tour versa des larmes. « D'où vient donc, disait-il, qu'un si grand roi, dont la gloire s'étend jusque chez les Hurons, se prive ainsi de tant de cœurs qui l'auraient aimé, et de tant de bras qui l'auraient servi ?

1. Virgile, *Bucoliques*, Première Églogue, v. 3.
2. Reproches.
3. En 1598, Henri IV accorde la liberté de culte aux protestants.
4. Soldats chargés de convertir de force les protestants.

— C'est qu'on l'a trompé comme les autres grands rois, répondit l'homme noir. On lui a fait croire que, dès qu'il aurait dit un mot, tous les hommes penseraient comme lui, et qu'il nous ferait changer de religion, comme son musicien Lulli fait changer en un moment les décorations de ses opéras. Non seulement il perd déjà cinq à six cent mille sujets très utiles, mais il s'en fait des ennemis ; et le roi Guillaume[1], qui est actuellement maître de l'Angleterre, a composé plusieurs régiments de ces mêmes Français qui auraient combattu pour leur monarque.

« Un tel désastre est d'autant plus étonnant que le pape régnant, à qui Louis XIV sacrifie une partie de son peuple, est son ennemi déclaré. Ils ont encore tous deux, depuis neuf ans, une querelle violente[2]. Elle a été poussée si loin que la France a espéré enfin de voir briser le joug qui la soumet depuis tant de siècles à cet étranger, et surtout de ne lui plus donner d'argent, ce qui est le premier mobile des affaires de ce monde. Il paraît donc évident qu'on a trompé ce grand roi sur ses intérêts comme sur l'étendue de son pouvoir, et qu'on a donné atteinte à la magnanimité de son cœur. »

L'Ingénu, attendri de plus en plus, demanda quels étaient les Français qui trompaient ainsi un monarque si cher aux Hurons. « Ce sont les jésuites, lui répon-

---

1. Roi protestant de Hollande qui devient roi d'Angleterre grâce au Parlement en 1689, détrônant Jacques II, catholique soutenu par la France.

2. Parce que le pape voulait priver le roi de France de son droit de toucher les revenus des évêchés vacants et de désigner les titulaires de ces bénéfices.

dit-on; c'est surtout le père de La Chaise[1], confesseur de Sa Majesté. Il faut espérer que Dieu les en punira un jour, et qu'ils seront chassés comme ils nous chassent. Y a-t-il un malheur égal aux nôtres? Mons[2] de Louvois nous envoie de tous côtés des jésuites et des dragons.

— Oh bien! messieurs, répliqua l'Ingénu, qui ne pouvait plus se contenir, je vais à Versailles recevoir la récompense due à mes services; je parlerai à ce mons de Louvois[3]: on m'a dit que c'est lui qui fait la guerre, de son cabinet. Je verrai le roi, je lui ferai connaître la vérité; il est impossible qu'on ne se rende pas à cette vérité quand on la sent. Je reviendrai bientôt pour épouser Mlle de Saint-Yves, et je vous prie à la noce.» Ces bonnes gens le prirent alors pour un grand seigneur qui voyageait *incognito* par le coche. Quelques-uns le prirent pour le fou du roi.

Il y avait à table un jésuite déguisé qui servait d'espion au révérend père de La Chaise. Il lui rendait compte de tout, et le père de La Chaise en instruisait mons de Louvois. L'espion écrivit. L'Ingénu et la lettre arrivèrent presque en même temps à Versailles.

1. Père jésuite (1624-1709), confesseur de Louis XIV.
2. Abréviation désinvolte de *monsieur.*
3. Ministre de la Guerre de Louis XIV.

Chapitre 9

Arrivée de l'Ingénu à Versailles. Sa réception à la cour

L'Ingénu débarque en pot de chambre[1] dans la cour des cuisines. Il demande aux porteurs de chaise[2] à quelle heure on peut voir le roi. Les porteurs lui rient au nez, tout comme avait fait l'amiral anglais. Il les traita de même, il les battit ; ils voulurent le lui rendre, et la scène allait être sanglante s'il n'eût passé un garde du corps, gentilhomme breton, qui écarta la canaille. « Monsieur, lui dit le voyageur, vous me paraissez un brave homme ; je suis le neveu de M. le prieur de Notre-Dame de la Montagne ; j'ai tué des Anglais, je viens parler au roi : je vous prie de me mener dans sa chambre. » Le garde, ravi de trouver un brave de sa province, qui ne paraissait pas au fait des usages de la cour, lui apprit qu'on ne parlait pas ainsi au roi, et qu'il fallait être présenté par Mgr de Louvois. « Eh bien ! menez-moi donc chez ce Mgr de Louvois, qui sans doute me conduira chez Sa Majesté. — Il est encore plus difficile, répliqua le garde, de parler à Mgr de Louvois qu'à Sa Majesté. Mais je vais vous conduire chez M. Alexandre[3], le premier commis de la guerre : c'est comme si vous parliez au

1. Voltaire note que « c'est une voiture de Paris à Versailles, laquelle ressemble à un petit tombereau ouvert ».

2. On se déplaçait aussi dans des chaises à bras portées par deux hommes.

3. Personnage réel, sorte de haut fonctionnaire.

ministre. » Ils vont donc chez ce M. Alexandre, premier commis, et ils ne purent être introduits ; il était en affaire avec une dame de la cour, et il y avait ordre de ne laisser entrer personne. « Eh bien ! dit le garde, il n'y a rien de perdu ; allons chez le premier commis de M. Alexandre : c'est comme si vous parliez à M. Alexandre lui-même. »

Le Huron, tout étonné, le suit ; ils restent ensemble une demi-heure dans une petite antichambre. « Qu'est-ce donc que tout ceci ? dit l'Ingénu ; est-ce que tout le monde est invisible dans ce pays-ci ? Il est bien plus aisé de se battre en Basse-Bretagne contre les Anglais que de rencontrer à Versailles les gens à qui on a affaire. » Il se désennuya en racontant ses amours à son compatriote. Mais l'heure en sonnant rappela le garde du corps à son poste. Ils se promirent de se revoir le lendemain ; et l'Ingénu resta encore une autre demi-heure dans l'antichambre, en rêvant à Mlle de Saint-Yves, et à la difficulté de parler aux rois et aux premiers commis.

Enfin le patron parut. « Monsieur, lui dit l'Ingénu, si j'avais attendu pour repousser les Anglais aussi longtemps que vous m'avez fait attendre mon audience, ils ravageraient actuellement la Basse-Bretagne tout à leur aise. » Ces paroles frappèrent le commis. Il dit enfin au Breton : « Que demandez-vous ? — Récompense, dit l'autre ; voici les titres. » Il lui étala tous ses certificats. Le commis lut, et lui dit que probablement on lui accorderait la permission d'acheter une lieutenance[1].

---

1. Sous l'Ancien Régime, les emplois, sous forme de *charges*, s'achetaient.

« Moi ! que je donne de l'argent pour avoir repoussé les Anglais ! que je paye le droit de me faire tuer pour vous, pendant que vous donnez ici vos audiences tranquillement ? Je crois que vous voulez rire. Je veux une compagnie de cavalerie pour rien. Je veux que le roi fasse sortir Mlle de Saint-Yves du couvent, et qu'il me la donne par mariage. Je veux parler au roi en faveur de cinquante mille familles que je prétends lui rendre. En un mot, je veux être utile : qu'on m'emploie et qu'on m'avance.

— Comment vous nommez-vous, monsieur, qui parlez si haut ? — Oh ! oh ! reprit l'Ingénu, vous n'avez donc pas lu mes certificats ? C'est donc ainsi qu'on en use ? Je m'appelle Hercule de Kerkabon ; je suis baptisé, je loge au Cadran bleu, et je me plaindrai de vous au roi. » Le commis conclut, comme les gens de Saumur, qu'il n'avait pas la tête bien saine, et n'y fit pas grande attention.

Ce même jour, le révérend père de La Chaise, confesseur de Louis XIV, avait reçu la lettre de son espion, qui accusait le Breton Kerkabon de favoriser dans son cœur les huguenots, et de condamner la conduite des jésuites. M. de Louvois, de son côté, avait reçu une lettre de l'interrogant bailli, qui dépeignait l'Ingénu comme un garnement qui voulait brûler les couvents et enlever les filles.

L'Ingénu, après s'être promené dans les jardins de Versailles, où il s'ennuya, après avoir soupé en Huron et en Bas-Breton, s'était couché dans la douce espérance de voir le roi le lendemain, d'obtenir Mlle de Saint-Yves en mariage, d'avoir au moins une compagnie de cavalerie, et de faire cesser la persécution contre les huguenots. Il se berçait de ces flatteuses idées, quand la maréchaussée[1] entra dans sa chambre. Elle se saisit d'abord de son fusil à deux coups et de son grand sabre.

On fit un inventaire de son argent comptant, et on le mena dans le château que fit construire le roi Charles V, fils de Jean II, auprès de la rue Saint-Antoine, à la porte des Tournelles[2].

Quel était en chemin l'étonnement de l'Ingénu, je vous le laisse à penser. Il crut d'abord que c'était un rêve. Il resta dans l'engourdissement; puis tout à coup, transporté d'une fureur qui redoublait ses forces, il prend à la gorge deux de ses conducteurs qui étaient avec lui dans le carrosse, les jette par la portière, se jette après eux, et entraîne le troisième, qui voulait le retenir. Il tombe de l'effort, on le lie, on le remonte dans la voiture. « Voilà donc, disait-il, ce que l'on gagne à chasser les Anglais de la Basse-Bretagne ! Que dirais-tu, belle Saint-Yves, si tu me voyais dans cet état ? »

On arrive enfin au gîte qui lui était destiné. On le porte en silence dans la chambre où il devait être enfermé, comme un mort qu'on porte dans un cimetière. Cette chambre était déjà occupée par un vieux solitaire de Port-Royal[3], nommé Gordon[4], qui y languissait depuis deux ans. « Tenez, lui dit le chef des sbires[5], voilà de la compagnie que je vous amène » ; et

1. Gendarmerie actuelle.
2. La Bastille.
3. C'est ainsi que l'on appelait les jansénistes.
4. Il existe un Thomas Gordon, pasteur et philosophe anglais du XVIIIe siècle, ennemi de l'intolérance.
5. Nom péjoratif des policiers.

sur-le-champ on referma les énormes verrous de la porte épaisse, revêtue de larges barres. Les deux captifs restèrent séparés de l'univers entier.

Chapitre 10

L'Ingénu enfermé à la Bastille avec un janséniste

M. Gordon était un vieillard frais et serein, qui savait deux grandes choses : supporter l'adversité et consoler les malheureux. Il s'avança d'un air ouvert et compatissant vers son compagnon, et lui dit en l'embrassant : « Qui que vous soyez qui venez partager mon tombeau, soyez sûr que je m'oublierai toujours moi-même pour adoucir vos tourments dans l'abîme infernal où nous sommes plongés. Adorons la Providence qui nous y a conduits, souffrons en paix, et espérons. » Ces paroles firent sur l'âme de l'Ingénu l'effet des gouttes d'Angleterre[1] qui rappellent un mourant à la vie, et lui font entrouvrir des yeux étonnés.

Après les premiers compliments, Gordon, sans le presser de lui apprendre la cause de son malheur, lui inspira, par la douceur de son entretien, et par cet intérêt que prennent deux malheureux l'un à l'autre, le désir d'ouvrir son cœur et de déposer le fardeau qui l'accablait ; mais il ne pouvait deviner le sujet de

1. Remède redonnant de l'énergie.

son malheur : cela lui paraissait un effet sans cause, et le bonhomme Gordon était aussi étonné que lui-même.

« Il faut, dit le janséniste au Huron, que Dieu ait de grands desseins sur vous, puisqu'il vous a conduit du lac Ontario en Angleterre et en France, qu'il vous a fait baptiser en Basse-Bretagne, et qu'il vous a mis ici pour votre salut. — Ma foi, répondit l'Ingénu, je crois que le diable s'est mêlé seul de ma destinée. Mes compatriotes d'Amérique ne m'auraient jamais traité avec la barbarie que j'éprouve ; ils n'en ont pas d'idée. On les appelle *sauvages* ; ce sont des gens de bien grossiers, et les hommes de ce pays-ci sont des coquins raffinés. Je suis, à la vérité, bien surpris d'être venu de l'autre monde pour être enfermé dans celui-ci sous quatre verrous avec un prêtre ; mais je fais réflexion au nombre prodigieux d'hommes qui partent d'un hémisphère pour aller se faire tuer dans l'autre, ou qui font naufrage en chemin, et qui sont mangés des poissons : je ne vois pas les gracieux desseins de Dieu sur tous ces gens-là. »

On leur apporta à dîner par un guichet. La conversation roula sur la Providence, sur les lettres de cachet[1], et sur l'art de ne pas succomber aux disgrâces auxquelles tout homme est exposé dans ce monde. « Il y a deux ans que je suis ici, dit le vieillard, sans autre consolation que moi-même et des livres ; je n'ai pas eu un moment de mauvaise humeur.

— Ah ! monsieur Gordon, s'écria l'Ingénu, vous

---

1. Lettres signées par le roi permettant d'emprisonner quelqu'un arbitrairement.

n'aimez donc pas votre marraine ? Si vous connaissiez comme moi Mlle de Saint-Yves, vous seriez au désespoir. » À ces mots il ne put retenir ses larmes, et il se sentit alors un peu moins oppressé. « Mais, dit-il, pourquoi donc les larmes soulagent-elles ? Il me semble qu'elles devraient faire un effet contraire. — Mon fils, tout est physique en nous, dit le bon vieillard ; toute sécrétion fait du bien au corps, et tout ce qui le soulage soulage l'âme : nous sommes les machines de la Providence. »

L'Ingénu, qui, comme nous l'avons dit plusieurs fois, avait un grand fonds d'esprit, fit de profondes réflexions sur cette idée, dont il semblait qu'il avait la semence en lui-même. Après quoi il demanda à son compagnon pourquoi sa machine était depuis deux ans sous quatre verrous. « Par la grâce efficace[1], répondit Gordon ; je passe pour janséniste : j'ai connu Arnaud[2] et Nicole[3] ; les jésuites nous ont persécutés. Nous croyons que le pape n'est qu'un évêque comme un autre ; et c'est pour cela que le père de La Chaise a obtenu du roi, son pénitent[4], un ordre de me ravir, sans aucune formalité de justice, le bien le plus précieux des hommes, la liberté. — Voilà qui est bien étrange, dit l'Ingénu ; tous les malheureux que j'ai rencontrés ne le sont qu'à cause du pape.

« À l'égard de votre grâce efficace, je vous avoue

---

1. Pour les jansénistes, les hommes ne peuvent se sauver seuls et ont besoin de Dieu, qui n'accorde sa grâce qu'à un très petit nombre d'élus.
2. Théologien, chef du parti janséniste (1612-1694).
3. Moraliste et grammairien janséniste (1625-1695).
4. Celui qui se repent de ses péchés.

que je n'y entends rien ; mais je regarde comme une grande grâce que Dieu m'ait fait trouver dans mon malheur un homme comme vous, qui verse dans mon cœur des consolations dont je me croyais incapable. »

Chaque jour la conversation devenait plus intéressante et plus instructive. Les âmes des deux captifs s'attachaient l'une à l'autre. Le vieillard savait beaucoup, et le jeune homme voulait beaucoup apprendre. Au bout d'un mois il étudia la géométrie ; il la dévorait. Gordon lui fit lire la *Physique* de Rohault[1], qui était encore à la mode, et il eut le bon esprit de n'y trouver que des incertitudes.

Ensuite il lut le premier volume de la *Recherche de la vérité*[2]. Cette nouvelle lumière l'éclaira. « Quoi ! dit-il, notre imagination et nos sens nous trompent à ce point ! quoi ! les objets ne forment point nos idées, et nous ne pouvons nous les donner nous-mêmes ! » Quand il eut lu le second volume, il ne fut plus si content, et il conclut qu'il est plus aisé de détruire que de bâtir.

Son confrère, étonné qu'un jeune ignorant fît cette réflexion qui n'appartient qu'aux âmes exercées, conçut une grande idée de son esprit et s'attacha à lui davantage.

« Votre Malebranche, lui dit un jour l'Ingénu, me paraît avoir écrit la moitié de son livre avec sa raison, et l'autre avec son imagination et ses préjugés. »

Quelques jours après, Gordon lui demanda : « Que

1. Traité d'inspiration cartésienne.
2. Œuvre de Malebranche, philosophe français cartésien (1638-1715).

pensez-vous donc de l'âme, de la manière dont nous recevons nos idées, de notre volonté, de la grâce, du libre arbitre ? — Rien, lui repartit l'Ingénu ; si je pensais quelque chose, c'est que nous sommes sous la puissance de l'Être éternel comme les astres et les éléments ; qu'il fait tout en nous, que nous sommes de petites roues de la machine immense dont il est l'âme ; qu'il agit par des lois générales et non par des vues particulières ; cela seul me paraît intelligible, tout le reste est pour moi un abîme de ténèbres.

— Mais, mon fils, ce serait faire Dieu auteur du péché !

— Mais, mon père, votre grâce efficace ferait Dieu auteur du péché aussi : car il est certain que tous ceux à qui cette grâce serait refusée pécheraient ; et qui nous livre au mal n'est-il pas l'auteur du mal ? »

Cette naïveté embarrassait fort le bonhomme ; il sentait qu'il faisait de vains efforts pour se tirer de ce bourbier, et il entassait tant de paroles qui paraissaient avoir du sens et qui n'en avaient point (dans le goût de la prémotion physique[1]) que l'Ingénu en avait pitié. Cette question tenait évidemment à l'origine du bien et du mal ; et alors il fallait que le pauvre Gordon passât en revue la boîte de Pandore[2], l'œuf d'Orosmade[3]

---

1. Doctrine théologique selon laquelle Dieu agit directement et physiquement sur la volonté humaine. Allusion au livre de l'abbé Boursier (1679-1749), *L'Action de Dieu sur les créatures ou la Prémotion physique.*

2. Légende rapportée par le poète grec Hésiode, selon laquelle la première femme du monde, Pandore, envoyée aux hommes par Zeus, souleva le couvercle de la boîte contenant tous les maux de l'humanité, qui s'échappèrent et se répandirent.

3. Mythe persan du combat entre le bien et le mal.

percé par Arimane, l'inimitié entre Typhon et Osiris[1], et enfin le péché originel[2]; et ils couraient l'un et l'autre dans cette nuit profonde, sans jamais se rencontrer. Mais enfin ce roman de l'âme détournait leur vue de la contemplation de leur propre misère; et par un charme[3] étrange, la foule des calamités répandues sur l'univers diminuait la sensation de leurs peines: ils n'osaient se plaindre quand tout souffrait.

Mais dans le repos de la nuit, l'image de la belle Saint-Yves effaçait dans l'esprit de son amant toutes les idées de métaphysique et de morale. Il se réveillait les yeux mouillés de larmes; et le vieux janséniste oubliait sa grâce efficace, et l'abbé de Saint-Cyran, et Jansénius[4], pour consoler un jeune homme qu'il croyait en péché mortel.

Après leurs lectures, après leurs raisonnements, ils parlaient encore de leurs aventures; et après en avoir inutilement parlé, ils lisaient ensemble ou séparément. L'esprit du jeune homme se fortifiait de plus en plus. Il serait surtout allé très loin en mathématique, sans les distractions que lui donnait Mlle de Saint-Yves.

Il lut des histoires[5], elles l'attristèrent. Le monde lui parut trop méchant et trop misérable. En effet, l'histoire n'est que le tableau des crimes et des malheurs. La foule des hommes innocents et paisibles disparaît toujours sur ces vastes théâtres. Les per-

---

1. Dans la mythologie égyptienne, Seth (Tiphon pour les Grecs) tue son frère Osiris.

2. Adam et Ève mangeant les fruits de l'arbre de la connaissance en dépit de l'interdiction de Dieu.

3. Magie.

4. Les deux fondateurs du jansénisme.

5. Récits historiques.

sonnages ne sont que des ambitieux pervers. Il semble que l'histoire ne plaise que comme la tragédie, qui languit si elle n'est animée par les passions, les forfaits et les grandes infortunes. Il faut armer Clio[1] du poignard comme Melpomène[2].

Quoique l'histoire de France soit remplie d'horreurs ainsi que toutes les autres, cependant elle lui parut si dégoûtante dans ses commencements, si sèche dans son milieu, si petite enfin, même du temps de Henri IV, toujours si dépourvue de grands monuments, si étrangère à ces belles découvertes qui ont illustré d'autres nations, qu'il était obligé de lutter contre l'ennui pour lire tous ces détails de calamités obscures resserrées dans un coin du monde.

Gordon pensait comme lui. Tous deux riaient de pitié quand il était question des souverains de Fezensac, de Fezansaguet et d'Astarac[3]. Cette étude en effet ne serait bonne que pour leurs héritiers s'ils en avaient. Les beaux siècles de la république romaine le rendirent quelque temps indifférent pour le reste de la terre. Le spectacle de Rome victorieuse et législatrice des nations occupait son âme entière. Il s'échauffait en contemplant ce peuple qui fut gouverné sept cents ans par l'enthousiasme de la liberté et de la gloire.

Ainsi se passaient les jours, les semaines, les mois ; et il se serait cru heureux dans le séjour du désespoir, s'il n'avait point aimé.

Son bon naturel s'attendrissait encore sur le prieur

1. Muse de l'Histoire.
2. Muse de la Tragédie.
3. Trois petits comtés du pays de l'Armagnac.

de Notre-Dame de la Montagne et sur la sensible Kerkabon. « Que penseront-ils, répétait-il souvent, quand ils n'auront point de mes nouvelles ? Ils me croiront un ingrat. » Cette idée le tourmentait ; il plaignait ceux qui l'aimaient, beaucoup plus qu'il ne se plaignait lui-même.

Chapitre 11

Comment l'Ingénu développe son génie

La lecture agrandit l'âme, et un ami éclairé la console. Notre captif jouissait de ces deux avantages qu'il n'avait pas soupçonnés auparavant. « Je serais tenté, dit-il, de croire aux métamorphoses, car j'ai été changé de brute en homme. » Il se forma une bibliothèque choisie d'une partie de son argent dont on lui permettait de disposer. Son ami l'encouragea à mettre par écrit ses réflexions. Voici ce qu'il écrivit sur l'histoire ancienne :

Je m'imagine que les nations ont été longtemps comme moi, qu'elles ne se sont instruites que fort tard, qu'elles n'ont été occupées pendant des siècles que du moment présent qui coulait, très peu du passé et jamais de l'avenir. J'ai parcouru cinq ou six cents lieues du Canada, je n'y ai pas trouvé un seul monument ; personne n'y sait rien de ce qu'a fait son bisaïeul. Ne serait-ce pas là l'état naturel de l'homme ? L'espèce de ce continent-ci me paraît supérieure à celle de l'autre. Elle a augmenté son être depuis plusieurs siècles par les arts et par les connaissances. Est-ce parce qu'elle a de la barbe au menton, et que Dieu a refusé la barbe aux Américains ? Je ne le crois pas ; car je vois que les Chinois n'ont presque point de barbe, et qu'ils cultivent les arts depuis plus de cinq mille années. En effet, s'ils ont plus de quatre mille ans d'annales[1]*, il faut bien que la nation ait été rassemblée et florissante depuis plus de cinquante siècles.*

Une chose me frappe surtout dans cette ancienne histoire de la Chine, c'est que presque tout y est vraisemblable et naturel. Je l'admire en ce qu'il n'y a rien de merveilleux.

Pourquoi toutes les autres nations se sont-elles donné des origines fabuleuses ? Les anciens chroniqueurs de l'histoire de France, qui ne sont pas fort anciens, font venir les Français d'un Francus, fils d'Hector[2]*. Les Romains se disaient issus d'un Phrygien*[3]*, quoiqu'il n'y eût pas dans leur langue un seul mot qui eût le moindre rapport à la langue de Phrygie. Les dieux avaient habité dix mille ans en Égypte et les diables en Scythie*[4]*, où ils avaient engendré les Huns*[5]*. Je ne vois, avant Thucydide*[6]*, que des romans semblables aux* Amadis[7]*, et beaucoup moins amusants. Ce sont partout des apparitions, des oracles, des prodiges, des sortilèges, des métamorphoses, des*

1. Récit chronologique rapportant des événements année par année.
2. Héros de l'*Iliade*, fils du roi de Troie, Priam.
3. Habitant de Phrygie, pays d'Asie Mineure, ici Énée.
4. Pays au nord de la mer Noire.
5. Barbares venus d'Asie qui envahirent une partie de l'Europe occidentale au Ve siècle. Leur chef est le célèbre Attila.
6. Historien grec (Ve siècle avant J.-C.).
7. Héros éponyme d'un roman de chevalerie, best-seller du XVIe siècle.

songes expliqués, et qui font la destinée des plus grands empires et des plus petits États : ici des bêtes qui parlent, là des bêtes qu'on adore, des dieux transformés en hommes, et des hommes transformés en dieux. Ah ! s'il nous faut des fables, que ces fables soient du moins l'emblème de la vérité ! J'aime les fables des philosophes, je ris de celles des enfants, et je hais celles des imposteurs.

Il tomba un jour sur une histoire de l'empereur Justinien[1]. On y lisait que des apédeutes de Constantinople avaient donné, en très mauvais grec, un édit contre le plus grand capitaine du siècle, parce que ce héros avait prononcé ces paroles dans la chaleur de la conversation : *La vérité luit de sa propre lumière, et on n'éclaire pas les esprits avec les flammes des bûchers.* Les apédeutes[2] assurèrent que cette proposition était hérétique, sentant l'hérésie[3], et que l'axiome[4] contraire était catholique, universel et grec : *On n'éclaire les esprits qu'avec la flamme des bûchers, et la vérité ne saurait luire de sa propre lumière*[5]. Ces linostoles[6] condamnèrent ainsi plusieurs discours du capitaine, et donnèrent un édit.

---

1. Empereur byzantin (527-565).
2. Néologisme voltairien forgé sur un adjectif grec signifiant « sans éducation ».
3. Doctrine considérée par l'Église catholique comme incompatible avec un dogme ou un article de foi.
4. Vérité indémontrable mais évidente et considérée comme universelle.
5. Citation du roman de Marmontel, *Bélisaire*, censuré par la Sorbonne en 1767. Le héros en était Bélisaire, général byzantin du VIe siècle, dont les succès militaires rendirent jaloux l'empereur Justinien qui le disgracia.
6. Autre mot calqué sur le grec « vêtu de lin », renvoyant aux docteurs de la Sorbonne.

« Quoi ! s'écria l'Ingénu, des édits rendus par ces gens-là ! — Ce ne sont point des édits, répliqua Gordon, ce sont des contre-édits, dont tout le monde se moquait à Constantinople, et l'empereur tout le premier : c'était un sage prince qui avait su réduire les apédeutes linostoles à ne pouvoir faire que du bien. Il savait que ces messieurs-là et plusieurs autres pastophores[1] avaient lassé de contre-édits la patience des empereurs ses prédécesseurs en matière plus grave. — Il fit fort bien, dit l'Ingénu ; on doit soutenir les pastophores et les contenir. »

Il mit par écrit beaucoup d'autres réflexions qui épouvantèrent le vieux Gordon. « Quoi ! dit-il en lui-même, j'ai consumé cinquante ans à m'instruire, et je crains de ne pouvoir atteindre au bon sens naturel de cet enfant presque sauvage ! Je tremble d'avoir laborieusement fortifié des préjugés ; il n'écoute que la simple nature. »

Le bonhomme avait quelques-uns de ces petits livres de critique, de ces brochures périodiques où des hommes incapables de rien produire dénigrent les productions des autres, où les Visé[2] insultent aux Racine, et les Faydit[3] aux Fénelon. L'Ingénu en parcourut quelques-uns. « Je les compare, disait-il, à certains moucherons qui vont déposer leurs œufs dans

1. Autre néologisme créé à partir du grec, désignant les prêtres chargés de porter, dans les temples, les statuettes de la divinité.

2. Donneau de Visé (1638-1710), fondateur du *Mercure galant*, journal littéraire.

3. Théologien (1640-1709) et auteur d'une *Télémachomanie* dirigée contre Fénelon (1651-1715), auteur des *Aventures de Télémaque*, archevêque de Cambrai.

le derrière des plus beaux chevaux : cela ne les empêche pas de courir. » À peine les deux philosophes daignèrent-ils jeter les yeux sur ces excréments de la littérature.

Ils lurent bientôt ensemble les éléments de l'astronomie ; l'Ingénu fit venir des sphères : ce grand spectacle le ravissait. « Qu'il est dur, disait-il, de ne commencer à connaître le ciel que lorsqu'on me ravit le droit de le contempler ! Jupiter et Saturne roulent dans ces espaces immenses ; des millions de soleils éclairent des milliards de mondes ; et dans le coin de terre où je suis jeté, il se trouve des êtres qui me privent, moi être voyant et pensant, de tous ces mondes où ma vue pourrait atteindre, et de celui où Dieu m'a fait naître ! La lumière faite pour tout l'univers est perdue pour moi. On ne me la cachait pas dans l'horizon septentrional[1] où j'ai passé mon enfance et ma jeunesse. Sans vous, mon cher Gordon, je serais ici dans le néant. »

Chapitre 12

Ce que l'Ingénu pense des pièces de théâtre

Le jeune Ingénu ressemblait à un de ces arbres vigoureux qui, nés dans un sol ingrat, étendent en peu de temps leurs racines et leurs branches quand

1. Horizon du nord, c'est-à-dire le Canada.

ils sont transplantés dans un terrain favorable ; et il était bien extraordinaire qu'une prison fût ce terrain.

Parmi les livres qui occupaient le loisir des deux captifs, il se trouva des poésies, des traductions de tragédies grecques, quelques pièces du théâtre français. Les vers qui parlaient d'amour portèrent à la fois dans l'âme de l'Ingénu le plaisir et la douleur. Ils lui parlaient tous de sa chère Saint-Yves. La fable des *Deux pigeons*[1] lui perça le cœur : il était bien loin de pouvoir revenir à son colombier.

Molière l'enchanta. Il lui faisait connaître les mœurs de Paris et du genre humain. « À laquelle de ses comédies donnez-vous la préférence ? — Au *Tartuffe*[2], sans difficulté. — Je pense comme vous, dit Gordon ; c'est un tartufe qui m'a plongé dans ce cachot, et peut-être ce sont des tartufes qui ont fait votre malheur. Comment trouvez-vous ces tragédies grecques ? — Bonnes pour des Grecs », dit l'Ingénu. Mais quand il lut l'*Iphigénie* moderne, *Phèdre*, *Andromaque*, *Athalie*[2], il fut en extase, il soupira, il versa des larmes, il les sut par cœur sans avoir envie de les apprendre.

« Lisez *Rodogune*[2], lui dit Gordon : on dit que c'est le chef-d'œuvre du théâtre ; les autres pièces qui vous ont fait tant de plaisir sont peu de chose en comparaison. » Le jeune homme, dès la première page, lui dit : « Cela n'est pas du même auteur. — À quoi le voyez-vous ? — Je n'en sais rien encore ; mais ces vers-là ne vont ni à mon oreille ni à mon cœur.

1. Fable de La Fontaine (livre IX, 2).

2. *Tartuffe* : comédie de Molière. *Iphigénie, Phèdre, Andromaque, Athalie* : tragédies de Racine. *Rodogune* : tragédie de Corneille.

— Oh ! ce n'est rien que les vers », répliqua Gordon. L'Ingénu répondit : « Pourquoi donc en faire ? »

Après avoir lu très attentivement la pièce, sans autre dessein que celui d'avoir du plaisir, il regardait son ami avec des yeux secs et étonnés, et ne savait que dire. Enfin, pressé de rendre compte de ce qu'il avait senti, voici ce qu'il répondit : « Je n'ai guère entendu le commencement ; j'ai été révolté du milieu ; la dernière scène m'a beaucoup ému, quoiqu'elle me paraisse peu vraisemblable ; je ne me suis intéressé pour personne, et je n'ai pas retenu vingt vers, moi qui les retiens tous quand ils me plaisent.

— Cette pièce passe pourtant pour la meilleure que nous ayons. — Si cela est, répliqua-t-il, elle est peut-être comme bien des gens qui ne méritent pas leurs places. Après tout, c'est ici une affaire du goût : le mien ne doit pas encore être formé ; je peux me tromper ; mais vous savez que je suis assez accoutumé à dire ce que je pense, ou plutôt ce que je sens. Je soupçonne qu'il y a souvent de l'illusion, de la mode, du caprice, dans les jugements des hommes. J'ai parlé d'après la nature : il se peut que chez moi la nature soit très imparfaite ; mais il se peut aussi qu'elle soit quelquefois peu consultée par la plupart des hommes. » Alors il récita des vers d'*Iphigénie*, dont il était plein, et quoiqu'il ne déclamât pas bien, il y mit tant de vérité et d'onction qu'il fit pleurer le vieux janséniste. Il lut ensuite *Cinna*[1] : il ne pleura point, mais il admira. « Je suis fâché pourtant, dit-il,

1. Tragédie de Corneille.

que cette brave fille reçoive tous les jours des rouleaux de l'homme qu'elle veut faire assassiner. Je lui dirais volontiers ce que j'ai lu dans *Les Plaideurs* : Eh ! rendez donc l'argent ! »

Chapitre 13

La belle Saint-Yves va à Versailles

Pendant que notre infortuné s'éclairait plus qu'il ne se consolait ; pendant que son génie, étouffé depuis si longtemps, se déployait avec tant de rapidité et de force ; pendant que la nature, qui se perfectionnait en lui, le vengeait des outrages de la fortune, que devinrent monsieur le prieur et sa bonne sœur, et la belle recluse Saint-Yves ? Le premier mois on fut inquiet, et au troisième on fut plongé dans la douleur : les fausses conjectures, les bruits mal fondés alarmèrent ; au bout de six mois on le crut mort. Enfin, M. et Mlle de Kerkabon apprirent, par une ancienne lettre qu'un garde du roi avait écrite en Bretagne, qu'un jeune homme semblable à l'Ingénu était arrivé un soir à Versailles, mais qu'il avait été enlevé pendant la nuit, et que depuis ce temps personne n'en avait entendu parler.

« Hélas ! dit Mlle Kerkabon, notre neveu aura fait quelque sottise et se sera attiré de fâcheuses affaires. Il est jeune, il est Bas-Breton, il ne peut savoir comme on doit se comporter à la cour. Mon cher frère, je n'ai jamais vu Versailles ni Paris ; voici une belle occasion, nous retrouverons peut-être notre pauvre neveu ; c'est le fils de notre frère, notre devoir est de le secourir. Qui sait si nous ne pourrons point parvenir enfin à le faire sous-diacre, quand la fougue de la jeunesse sera amortie ? Il avait beaucoup de disposition pour les sciences. Vous souvenez-vous comme il raisonnait sur l'Ancien et sur le Nouveau Testament ? Nous sommes responsables de son âme ; c'est nous qui l'avons fait baptiser ; sa chère maîtresse Saint-Yves passe les journées à pleurer. En vérité, il faut aller à Paris. S'il est caché dans quelqu'une de ces vilaines maisons de joie[1] dont on m'a fait tant de récits, nous l'en tirerons. » Le prieur fut touché des discours de sa sœur. Il alla trouver l'évêque de Saint-Malo qui avait baptisé le Huron, et lui demanda sa protection et ses conseils. Le prélat approuva le voyage. Il donna au prieur des lettres de recommandation pour le père de La Chaise, confesseur du roi, qui avait la première dignité du royaume ; pour l'archevêque de Paris Harlay[2], et pour l'évêque de Meaux Bossuet[3].

Enfin le frère et la sœur partirent ; mais quand ils furent arrivés à Paris, ils se trouvèrent égarés comme dans un vaste labyrinthe sans fil et sans issue. Leur fortune était médiocre ; il leur fallait tous les jours des voitures pour aller à la découverte, et ils ne découvraient rien.

---

1. Maisons de prostitution.
2. François de Harlay de Champvallon (1625-1695), réputé pour ses aventures galantes, joua un rôle dans la révocation de l'édit de Nantes.
3. Évêque célèbre pour ses sermons et ses oraisons funèbres.

Le prieur se présenta chez le révérend père de La Chaise : il était avec Mlle du Tron[1] et ne pouvait donner audience à des prieurs. Il alla à la porte de l'archevêque : le prélat était enfermé avec la belle Mme de Lesdiguières[2] pour les affaires de l'Église. Il courut à la maison de campagne de l'évêque de Meaux : celui-ci examinait avec Mlle de Mauléon[3] l'amour mystique de Mme Guyon[4]. Cependant il parvint à se faire entendre de ces deux prélats ; tous deux lui déclarèrent qu'ils ne pouvaient se mêler de son neveu, attendu qu'il n'était pas sous-diacre.

Enfin il vit le jésuite ; celui-ci le reçut à bras ouverts, lui protesta qu'il avait toujours eu pour lui une estime particulière, ne l'ayant jamais connu. Il jura que la Société[5] avait toujours été attachée aux Bas-Bretons. « Mais, dit-il, votre neveu n'aurait-il pas le malheur d'être huguenot ? — Non, assurément, mon Révérend Père. — Serait-il point janséniste ? — Je puis assurer à Votre Révérence qu'à peine est-il chrétien. Il y a environ onze mois que nous l'avons baptisé. — Voilà qui est bien, voilà qui est bien, nous aurons soin de lui. Votre bénéfice est-il considérable ? — Oh ! fort peu de chose, et mon neveu nous coûte beaucoup. — Y a-t-il quelques jansénistes dans le voisinage ? Prenez bien garde, mon cher monsieur le

1. Nièce du premier valet de chambre de Louis XIV.
2. Maîtresse de Harlay.
3. Elle se serait mariée secrètement avec Bossuet, avant la prêtrise de celui-ci.
4. Femme de lettres (1648-1717) qui diffusa en France la doctrine religieuse du quiétisme, doctrine de l'anéantissement mystique de l'âme en Dieu qui rend inutile les sacrements.
5. La Compagnie de Jésus, les jésuites.

prieur, ils sont plus dangereux que les huguenots et les athées. — Mon Révérend Père, nous n'en avons point ; on ne sait ce que c'est que le jansénisme à Notre-Dame de la Montagne. — Tant mieux ; allez, il n'y a rien que je ne fasse pour vous. » Il congédia affectueusement le prieur, et n'y pensa plus.

Le temps s'écoulait, le prieur et la bonne sœur se désespéraient.

Cependant le maudit bailli pressait le mariage de son grand benêt de fils avec la belle Saint-Yves, qu'on avait fait sortir exprès du couvent. Elle aimait toujours son cher filleul autant qu'elle détestait le mari qu'on lui présentait. L'affront d'avoir été mise dans un couvent augmentait sa passion. L'ordre d'épouser le fils du bailli y mettait le comble. Les regrets, la tendresse et l'horreur bouleversaient son âme. L'amour, comme on sait, est bien plus ingénieux et plus hardi dans une jeune fille que l'amitié ne l'est dans un vieux prieur et dans une tante de quarante-cinq ans passés. De plus, elle s'était bien formée dans son couvent par les romans qu'elle avait lus à la dérobée.

La belle Saint-Yves se souvenait de la lettre qu'un garde du corps avait écrite en Basse-Bretagne, et dont on avait parlé dans la province. Elle résolut d'aller elle-même prendre des informations à Versailles, de se jeter aux pieds des ministres si son mari était en prison, comme on le disait, et d'obtenir justice pour lui. Je ne sais quoi l'avertissait secrètement qu'à la cour on ne refuse rien à une jolie fille. Mais elle ne savait pas ce qu'il en coûtait.

Sa résolution prise, elle est consolée, elle est tranquille, elle ne rebute plus son sot prétendu[1]; elle accueille le détestable beau-père, caresse[2] son frère, répand l'allégresse dans la maison; puis, le jour destiné à la cérémonie, elle part secrètement à quatre heures du matin avec ses petits présents de noce et tout ce qu'elle a pu rassembler. Ses mesures étaient si bien prises qu'elle était déjà à plus de dix lieues lorsqu'on entra dans sa chambre vers le midi. La surprise et la consternation furent grandes. L'interrogant bailli fit ce jour-là plus de questions qu'il n'en avait fait dans toute la semaine; le mari resta plus sot qu'il ne l'avait jamais été. L'abbé de Saint-Yves en colère prit le parti de courir après sa sœur. Le bailli et son fils voulurent l'accompagner. Ainsi la destinée conduisait à Paris presque tout ce canton de la Basse-Bretagne.

La belle Saint-Yves se doutait bien qu'on la suivrait. Elle était à cheval; elle s'informait adroitement des courriers[3] s'ils n'avaient point rencontré un gros abbé, un énorme bailli et un jeune benêt, qui couraient sur le chemin de Paris. Ayant appris au troisième jour qu'ils n'étaient pas loin, elle prit une route différente, et eut assez d'habileté et de bonheur pour arriver à Versailles tandis qu'on la cherchait inutilement dans Paris.

Mais comment se conduire à Versailles? Jeune, belle, sans conseil, sans appui, inconnue, exposée à tout, comment oser chercher un garde du roi? Elle imagina de s'adresser à un jésuite du bas étage; il y en

1. Prétendant.
2. Flatte.
3. Messagers.

avait pour toutes les conditions de la vie[1], comme Dieu, disaient-ils, a donné différentes nourritures aux diverses espèces d'animaux. Il avait donné au roi son confesseur, que tous les solliciteurs de bénéfices appelaient le *chef de l'Église gallicane*; ensuite venaient les confesseurs des princesses; les ministres n'en avaient point: ils n'étaient pas si sots. Il y avait les jésuites du grand commun, et surtout les jésuites des femmes de chambre, par lesquelles on savait les secrets des maîtresses, et ce n'était pas un petit emploi. La belle Saint-Yves s'adressa à un de ces derniers, qui s'appelait le père Tout-à-tous. Elle se confessa à lui, lui exposa ses aventures, son état, son danger, et le conjura de la loger chez quelque bonne dévote qui la mît à l'abri des tentations.

Le père Tout-à-tous l'introduisit chez la femme d'un officier du gobelet[2], l'une de ses plus affidées[3] pénitentes. Dès qu'elle y fut, elle s'empressa de gagner la confiance et l'amitié de cette femme; elle s'informa du garde breton, et le fit prier de venir chez elle. Ayant su de lui que son amant avait été enlevé après avoir parlé à un premier commis, elle court chez ce commis: la vue d'une belle femme l'adoucit, car il faut convenir que Dieu n'a créé les femmes que pour apprivoiser les hommes.

Le plumitif[4] attendri lui avoua tout. « Votre amant est à la Bastille depuis près d'un an, et sans vous il y

---

1. Catégories sociales.
2. Officier ayant en charge la table du roi (nappe et serviettes, couverts, pain, eau, vin).
3. Dignes de confiance.
4. Employé aux écritures, secrétaire.

serait peut-être toute sa vie. » La tendre Saint-Yves s'évanouit. Quand elle eut repris ses sens, le plumitif lui dit : « Je suis sans crédit pour faire du bien ; tout mon pouvoir se borne à faire du mal quelquefois. Croyez-moi, allez chez M. de Saint-Pouange, qui fait le bien et le mal, cousin et favori de Mgr de Louvois. Ce ministre a deux âmes : M. de Saint-Pouange en est une ; Mme du Belloy[1], l'autre ; mais elle n'est pas à présent à Versailles ; il ne vous reste que de fléchir le protecteur que je vous indique. »

La belle Saint-Yves, partagée entre un peu de joie et d'extrêmes douleurs, entre quelque espérance et de tristes craintes, poursuivie par son frère, adorant son amant, essuyant ses larmes et en versant encore, tremblante, affaiblie, et reprenant courage, courut vite chez M. de Saint-Pouange.

Chapitre 14

Progrès de l'esprit de l'Ingénu

L'Ingénu faisait des progrès rapides dans les sciences, et surtout dans la science de l'homme. La cause du développement rapide de son esprit était due à son éducation sauvage presque autant qu'à la trempe de son âme. Car n'ayant rien appris dans son enfance, il n'avait point appris de préjugés. Son entendement, n'ayant point été courbé par l'erreur, était demeuré dans toute sa rectitude. Il voyait les choses

1. Clé pour Mme du Fresnoy, maîtresse du ministre Louvois.

comme elles sont, au lieu que les idées qu'on nous donne dans l'enfance nous les font voir toute notre vie comme elles ne sont point. « Vos persécuteurs sont abominables, disait-il à son ami Gordon. Je vous plains d'être opprimé, mais je vous plains d'être janséniste. Toute secte me paraît le ralliement de l'erreur. Dites-moi s'il y a des sectes en géométrie. — Non, mon cher enfant, lui dit en soupirant le bon Gordon ; tous les hommes sont d'accord sur la vérité quand elle est démontrée, mais ils sont trop partagés sur les vérités obscures. — Dites sur les faussetés obscures. S'il y avait eu une seule vérité cachée dans vos amas d'arguments qu'on ressasse depuis tant de siècles, on l'aurait découverte sans doute ; et l'univers aurait été d'accord au moins sur ce point-là. Si cette vérité était nécessaire comme le soleil l'est à la terre, elle serait brillante comme lui. C'est une absurdité, c'est un outrage au genre humain, c'est un attentat contre l'Être infini et suprême de dire : "Il y a une vérité essentielle à l'homme, et Dieu l'a cachée." »

Tout ce que disait ce jeune ignorant, instruit par la nature, faisait une impression profonde sur l'esprit du vieux savant infortuné. « Serait-il bien vrai, s'écria-t-il, que je me fusse rendu malheureux pour des chimères ? Je suis bien plus sûr de mon malheur que de la grâce efficace. J'ai consumé mes jours à raisonner sur la liberté de Dieu et du genre humain, mais j'ai perdu la mienne ; ni saint Augustin ni Prosper[1] ne me tireront de l'abîme où je suis. »

1. Né en Aquitaine en 403, milita en faveur des écrits de saint Augustin.

L'Ingénu, livré à son caractère, dit enfin : « Voulez-vous que je vous parle avec une confiance hardie ? Ceux qui se font persécuter pour ces vaines disputes de l'école[1] me semblent peu sages ; ceux qui persécutent me paraissent des monstres. »

Les deux captifs étaient fort d'accord sur l'injustice de leur captivité. « Je suis cent fois plus à plaindre que vous, disait l'Ingénu ; je suis né libre comme l'air ; j'avais deux vies, la liberté et l'objet de mon amour : on me les ôte. Nous voici tous deux dans les fers, sans en savoir la raison, et sans pouvoir la demander. J'ai vécu huron vingt ans ; on dit que ce sont des barbares parce qu'ils se vengent de leurs ennemis ; mais ils n'ont jamais opprimé leurs amis. À peine ai-je mis le pied en France que j'ai versé mon sang pour elle ; j'ai peut-être sauvé une province, et pour récompense je suis englouti dans ce tombeau des vivants, où je serais mort de rage sans vous. Il n'y a donc point de lois dans ce pays ! On condamne les hommes sans les entendre ! Il n'en est pas ainsi en Angleterre. Ah ! ce n'était pas contre les Anglais que je devais me battre. » Ainsi sa philosophie naissante ne pouvait dompter la nature outragée dans le premier de ses droits, et laissait un libre cours à sa juste colère.

Son compagnon ne le contredit point. L'absence augmente toujours l'amour qui n'est pas satisfait, et la philosophie ne le diminue pas. Il parlait aussi souvent de sa chère Saint-Yves que de morale et de métaphysique. Plus ses sentiments s'épuraient, et plus il aimait. Il lut quelques romans nouveaux ; il en trouva

1. Discussions scolaires et superficielles.

peu qui lui peignissent la situation de son âme. Il sentait que son cœur allait toujours au-delà de ce qu'il lisait. « Ah ! disait-il, presque tous ces auteurs-là n'ont que de l'esprit et de l'art. » Enfin le bon prêtre janséniste devenait insensiblement le confident de sa tendresse. Il ne connaissait l'amour auparavant que comme un péché dont on s'accuse en confession. Il apprit à le connaître comme un sentiment aussi noble que tendre, qui peut élever l'âme autant que l'amollir, et produire même quelquefois des vertus. Enfin, pour dernier prodige, un Huron convertissait un janséniste.

Chapitre 15

La belle Saint-Yves résiste à des propositions délicates

La belle Saint-Yves, plus tendre encore que son amant, alla donc chez M. de Saint-Pouange, accompagnée de l'amie chez qui elle logeait, toutes deux cachées dans leurs coiffes. La première chose qu'elle vit à la porte ce fut l'abbé de Saint-Yves, son frère, qui en sortait. Elle fut intimidée ; mais la dévote amie la rassura. « C'est précisément parce qu'on a parlé contre vous qu'il faut que vous parliez. Soyez sûre que dans ce pays les accusateurs ont toujours raison si on ne se hâte de les confondre. Votre présence d'ailleurs, ou je me trompe fort, fera plus d'effet que les paroles de votre frère. »

Pour peu qu'on encourage une amante passionnée,

elle est intrépide. La Saint-Yves se présente à l'audience. Sa jeunesse, ses charmes, ses yeux tendres, mouillés de quelques pleurs, attirèrent tous les regards. Chaque courtisan du sous-ministre oublia un moment l'idole du pouvoir pour contempler celle de la beauté. Le Saint-Pouange la fit entrer dans un cabinet ; elle parla avec attendrissement et avec grâce. Saint-Pouange se sentit touché. Elle tremblait, il la rassura. « Revenez ce soir, lui dit-il ; vos affaires méritent qu'on y pense et qu'on en parle à loisir. Il y a ici trop de monde. On expédie les audiences trop rapidement. Il faut que je vous entretienne à fond de tout ce qui vous regarde. » Ensuite, ayant fait l'éloge de sa beauté et de ses sentiments, il lui recommanda de venir à sept heures du soir.

Elle n'y manqua pas ; la dévote amie l'accompagna encore, mais elle se tint dans le salon, et lut le *Pédagogue chrétien*[1], pendant que le Saint-Pouange et la belle Saint-Yves étaient dans l'arrière-cabinet. « Croiriez-vous bien, mademoiselle, lui dit-il d'abord, que votre frère est venu me demander une lettre de cachet contre vous ? En vérité j'en expédierais plutôt une pour le renvoyer en Basse-Bretagne. — Hélas ! monsieur, on est donc bien libéral de lettres de cachet dans vos bureaux, puisqu'on en vient solliciter du fond du royaume, comme des pensions ? Je suis bien loin d'en demander une contre mon frère. J'ai beaucoup à me plaindre de lui, mais je respecte la liberté des hommes ; je demande celle d'un homme

1. Livre édifiant de Philippe Outreman (1641-1645) tourné en dérision par Voltaire dans le *Dictionnaire philosophique*.

que je veux épouser, d'un homme à qui le roi doit la conservation d'une province, qui peut le servir utilement, et qui est fils d'un officier tué à son service. De quoi est-il accusé ? Comment a-t-on pu le traiter si cruellement sans l'entendre ? »

Alors le sous-ministre lui montra la lettre du jésuite espion et celle du perfide bailli. « Quoi ! il y a de pareils monstres sur la terre ! et on veut me forcer ainsi à épouser le fils ridicule d'un homme ridicule et méchant ! et c'est sur de pareils avis qu'on décide ici de la destinée des citoyens ! » Elle se jeta à genoux, elle demanda avec des sanglots la liberté du brave homme qui l'adorait. Ses charmes dans cet état parurent dans leur plus grand avantage. Elle était si belle que le Saint-Pouange, perdant toute honte, lui insinua qu'elle réussirait si elle commençait par lui donner les prémices de ce qu'elle réservait à son amant[1]. La Saint-Yves, épouvantée et confuse, feignit longtemps de ne le pas entendre ; il fallut s'expliquer plus clairement. Un mot lâché d'abord avec retenue en produisait un plus fort, suivi d'un autre plus expressif. On offrit non seulement la révocation de la lettre de cachet, mais des récompenses, de l'argent, des honneurs, des établissements ; et plus on promettait, plus le désir de n'être pas refusé augmentait.

La Saint-Yves pleurait, elle était suffoquée, à demi renversée sur un sofa, croyant à peine ce qu'elle voyait, ce qu'elle entendait. Le Saint-Pouange, à son tour, se jeta à ses genoux. Il n'était pas sans agréments, et aurait pu ne pas effaroucher un cœur

1. Sa virginité qu'elle réservait à son amoureux, l'Ingénu.

moins prévenu. Mais Saint-Yves adorait son amant et croyait que c'était un crime horrible de le trahir pour le servir. Saint-Pouange redoublait les prières et les promesses. Enfin, la tête lui tourna au point qu'il lui déclara que c'était le seul moyen de tirer de sa prison l'homme auquel elle prenait un intérêt si violent et si tendre. Cet étrange entretien se prolongeait. La dévote de l'antichambre, en lisant son *Pédagogue chrétien*, disait : « Mon Dieu ! que peuvent-ils faire là depuis deux heures ? Jamais Mgr de Saint-Pouange n'a donné une si longue audience ; peut-être qu'il a tout refusé à cette pauvre fille, puisqu'elle le prie encore. »

Enfin sa compagne sortit de l'arrière-cabinet, tout éperdue, sans pouvoir parler, réfléchissant profondément sur le caractère des grands et des demi-grands qui sacrifient si légèrement la liberté des hommes et l'honneur des femmes.

Elle ne dit pas un mot pendant tout le chemin. Arrivée chez l'amie, elle éclata, elle lui conta tout. La dévote fit de grands signes de croix : « Ma chère amie, il faut consulter dès demain le père Tout-à-tous, notre directeur[1] ; il a beaucoup de crédit auprès de M. de Saint-Pouange ; il confesse plusieurs servantes de sa maison ; c'est un homme pieux et accommodant, qui dirige aussi des femmes de qualité. Abandonnez-vous à lui, c'est ainsi que j'en use ; je m'en suis toujours bien trouvée. Nous autres, pauvres femmes, nous avons besoin d'être conduites par un homme. — Eh bien, donc ! ma chère amie, j'irai trouver demain le père Tout-à-tous. »

1. Confesseur.

Chapitre 16

Elle consulte un jésuite

Dès que la belle et désolée Saint-Yves fut avec son bon confesseur, elle lui confia qu'un homme puissant et voluptueux lui proposait de faire sortir de prison celui qu'elle devait épouser légitimement, et qu'il demandait un grand prix de son service ; qu'elle avait une répugnance horrible pour une telle infidélité, et que, s'il ne s'agissait que de sa propre vie, elle la sacrifierait plutôt que de succomber.

« Voilà un abominable pécheur ! lui dit le père Tout-à-tous. Vous devriez bien me dire le nom de ce vilain homme ; c'est à coup sûr quelque janséniste ; je le dénoncerai à Sa Révérence le père de La Chaise, qui le fera mettre dans le gîte où est à présent la chère personne que vous devez épouser. »

La pauvre fille, après un long embarras et de grandes irrésolutions, lui nomma enfin Saint-Pouange.

« Mgr de Saint-Pouange ! s'écria le jésuite ; ah ! ma fille, c'est tout autre chose ; il est cousin du plus grand ministre que nous ayons jamais eu, homme de bien, protecteur de la bonne cause, bon chrétien ; il ne peut avoir eu une telle pensée, il faut que vous ayez mal entendu. — Ah ! mon père, je n'ai entendu que trop bien ; je suis perdue quoi que je fasse ; je n'ai que le choix du malheur et de la honte ; il faut que mon amant reste enseveli tout vivant, ou que je me rende indigne de vivre. Je ne puis le laisser périr, et je ne puis le sauver. »

Le père Tout-à-tous tâcha de la calmer par ces douces paroles :

« Premièrement, ma fille, ne dites jamais ce mot, *mon amant* ; il a quelque chose de mondain qui pourrait offenser Dieu. Dites : *mon mari* ; car, bien qu'il ne le soit pas encore, vous le regardez comme tel, et rien n'est plus honnête.

« Secondement, bien qu'il soit votre époux en idée, en espérance, il ne l'est pas en effet : ainsi vous ne commettriez pas un adultère, péché énorme qu'il faut toujours éviter autant qu'il est possible.

« Troisièmement, les actions ne sont pas d'une malice de coulpe[1] quand l'intention est pure ; et rien n'est plus pur que de délivrer votre mari.

« Quatrièmement, vous avez des exemples dans la sainte antiquité qui peuvent merveilleusement servir à votre conduite. Saint Augustin rapporte que, sous le proconsulat de Septimius Acindynus[2], en l'an 340 de notre salut, un pauvre homme, ne pouvant payer à César[3] ce qui appartenait à César, fut condamné à la mort, comme il est juste, malgré la maxime : *Où il n'y a rien le roi perd ses droits*. Il s'agissait d'une livre d'or ; le condamné avait une femme en qui Dieu avait mis la beauté et la prudence. Un vieux richard[4] promit de donner une livre d'or, et même plus, à la

---

1. Culpabilité, péché.
2. L'anecdote est déjà reprise à saint Augustin par Bayle dans son *Dictionnaire historique et critique*. Voltaire lui-même en a tiré un conte, *Cosi-Sancta*, et l'a évoquée dans l'article « Adultère » du *Dictionnaire philosophique*.
3. Jésus utilise cette périphrase dans les Évangiles pour désigner les impôts dus à l'empereur romain.
4. Nom péjoratif donné à un homme riche.

dame, à condition qu'il commettrait avec elle le péché immonde. La dame ne crut point mal faire en sauvant la vie à son mari. Saint Augustin approuve fort sa généreuse résignation. Il est vrai que le vieux richard la trompa, et peut-être même son mari n'en fut pas moins pendu ; mais elle avait fait tout ce qui était en elle pour sauver sa vie.

« Soyez sûre, ma fille, que, quand un jésuite vous cite saint Augustin, il faut bien que ce saint ait pleinement raison. Je ne vous conseille rien ; vous êtes sage ; il est à présumer que vous serez utile à votre mari. Mgr de Saint-Pouange est un honnête homme, il ne vous trompera pas ; c'est tout ce que je puis vous dire ; je prierai Dieu pour vous, et j'espère que tout se passera à sa plus grande gloire. »

La belle Saint-Yves, non moins effrayée des discours du jésuite que des propositions du sous-ministre, s'en retourna éperdue chez son amie. Elle était tentée de se délivrer par la mort de l'horreur de laisser dans une captivité affreuse l'amant qu'elle adorait, et de la honte de le délivrer au prix de ce qu'elle avait de plus cher, et qui ne devait appartenir qu'à cet amant infortuné.

Chapitre 17

Elle succombe par vertu

Elle priait son amie de la tuer ; mais cette femme, non moins indulgente que le jésuite, lui parla plus clairement encore. « Hélas ! dit-elle, les affaires ne se font guère autrement dans cette cour si aimable, si galante et si renommée. Les places les plus médiocres et les plus considérables n'ont souvent été données qu'au prix qu'on exige de vous. Écoutez, vous m'avez inspiré de l'amitié et de la confiance ; je vous avouerai que, si j'avais été aussi difficile que vous l'êtes, mon mari ne jouirait pas du petit poste qui le fait vivre ; il le sait, et loin d'en être fâché, il voit en moi sa bienfaitrice, et il se regarde comme ma créature. Pensez-vous que tous ceux qui ont été à la tête des provinces, ou même des armées, aient dû leurs honneurs et leur fortune à leurs seuls services ? Il en est qui en sont redevables à mesdames leurs femmes. Les dignités de la guerre ont été sollicitées par l'amour ; et la place a été donnée au mari de la plus belle.

« Vous êtes dans une situation bien plus intéressante : il s'agit de rendre votre amant au jour et de l'épouser ; c'est un devoir sacré qu'il vous faut remplir. On n'a point blâmé les belles et les grandes dames dont je vous parle ; on vous applaudira, on dira que vous ne vous êtes permis une faiblesse que par un excès de vertu. — Ah ! quelle vertu ! s'écria la belle Saint-Yves ; quel labyrinthe d'iniquités[1] ! quel pays ! et que j'apprends à connaître les hommes ! Un père de La Chaise et un bailli ridicule font mettre mon amant en prison ; ma famille me persécute ; on ne me tend la main dans mon désastre que pour me déshonorer. Un jésuite a perdu un brave homme, un autre jésuite veut me perdre ; je ne suis entourée

1. Iniquités : corruptions des mœurs, dépravations.

que de pièges, et je touche au moment de tomber dans la misère ! Il faut que je me tue ou que je parle au roi ; je me jetterai à ses pieds sur son passage, quand il ira à la messe ou à la comédie.

— On ne vous laissera pas approcher, lui dit sa bonne amie ; et, si vous aviez le malheur de parler, mons de Louvois et le révérend père de La Chaise pourraient vous enterrer dans le fond d'un couvent pour le reste de vos jours. »

Tandis que cette brave personne augmentait ainsi les perplexités de cette âme désespérée et enfonçait le poignard dans son cœur, arrive un exprès[1] de M. de Saint-Pouange avec une lettre et deux beaux pendants d'oreilles. Saint-Yves rejeta le tout en pleurant, mais l'amie s'en chargea.

Dès que le messager fut parti, notre confidente lit la lettre dans laquelle on propose un petit souper aux deux amies pour le soir. Saint-Yves jure qu'elle n'ira point. La dévote veut lui essayer les deux boucles de diamants ; Saint-Yves ne le put souffrir, elle combattit la journée entière. Enfin, n'ayant en vue que son amant, vaincue, entraînée, ne sachant où on la mène, elle se laisse conduire au souper fatal. Rien n'avait pu la déterminer à se parer de ses pendants d'oreilles ; la confidente les apporta, elle les lui ajusta malgré elle avant qu'on se mît à table. Saint-Yves était si confuse, si troublée, qu'elle se laissait tourmenter ; et le patron en tirait un augure très favorable. Vers la fin du repas, la confidente se retira discrètement. Le patron montra alors la révocation de la lettre de

---

1. Messager.

cachet, le brevet d'une gratification[1] considérable, celui d'une compagnie, et n'épargna pas les promesses. « Ah ! lui dit Saint-Yves, que je vous aimerais si vous ne vouliez pas être tant aimé ! »

Enfin, après une longue résistance, après des sanglots, des cris, des larmes, affaiblie du combat, éperdue, languissante, il fallut se rendre. Elle n'eut d'autre ressource que de se promettre de ne penser qu'à l'Ingénu tandis que le cruel jouirait impitoyablement de la nécessité où elle était réduite.

Chapitre 18

Elle délivre son amant
et un janséniste

Au point du jour, elle vole à Paris, munie de l'ordre du ministre. Il est difficile de peindre ce qui se passait dans son cœur pendant ce voyage. Qu'on imagine une âme vertueuse et noble, humiliée de son opprobre[2], enivrée de tendresse, déchirée des remords d'avoir trahi son amant, pénétrée du plaisir de délivrer ce qu'elle adore. Ses amertumes, ses combats, son succès, partageaient toutes ses réflexions. Ce n'était plus cette fille simple dont une éducation provinciale avait rétréci les idées. L'amour et le malheur l'avaient formée. Le sentiment avait fait autant de progrès en elle

1. Attestation de récompense.
2. Déshonneur honteux.

que la raison en avait fait dans l'esprit de son amant infortuné. Les filles apprennent à sentir plus aisément que les hommes n'apprennent à penser. Son aventure était plus instructive que quatre ans de couvent.

Son habit était d'une simplicité extrême. Elle voyait avec horreur les ajustements sous lesquels elle avait paru devant son funeste bienfaiteur ; elle avait laissé ses boucles de diamants à sa compagne sans même les regarder. Confuse et charmée, idolâtre de l'Ingénu et se haïssant elle-même, elle arrive enfin à la porte.

> De cet affreux château, palais de la vengeance,
> Qui renferma souvent le crime et l'innocence[1].

Quand il fallut descendre du carrosse, les forces lui manquèrent ; on l'aida ; elle entra, le cœur palpitant, les yeux humides, le front consterné. On la présente au gouverneur ; elle veut lui parler, sa voix expire ; elle montre son ordre en articulant à peine quelques paroles. Le gouverneur aimait son prisonnier ; il fut très aise de sa délivrance. Son cœur n'était pas endurci comme celui de quelques honorables geôliers ses confrères, qui, ne pensant qu'à la rétribution attachée à la garde de leurs captifs, fondant leurs revenus sur leurs victimes, et vivant du malheur d'autrui, se faisaient en secret une joie affreuse des larmes des infortunés.

Il fait venir le prisonnier dans son appartement. Les deux amants se voient, et tous deux s'évanouissent.

---

1. Voltaire, *La Henriade*, chant IV.

La belle Saint-Yves resta longtemps sans mouvement et sans vie : l'autre rappela bientôt son courage. « C'est apparemment là madame votre femme, lui dit le gouverneur ; vous ne m'aviez point dit que vous fussiez marié. On me mande[1] que c'est à ses soins généreux que vous devez votre délivrance. — Ah ! je ne suis pas digne d'être sa femme », dit la belle Saint-Yves d'une voix tremblante, et elle retomba encore en faiblesse.

Quand elle eut repris ses sens, elle présenta, toujours tremblante, le brevet de la gratification et la promesse par écrit d'une compagnie. L'Ingénu, aussi étonné qu'attendri, s'éveillait d'un songe pour retomber dans un autre. « Pourquoi ai-je été enfermé ici ? comment avez-vous pu m'en tirer ? où sont les monstres qui m'y ont plongé ? Vous êtes une divinité qui descendez du ciel à mon secours. »

La belle Saint-Yves baissait la vue, regardait son amant, rougissait, et détournait, le moment d'après, ses yeux mouillés de pleurs. Elle lui apprit enfin tout ce qu'elle savait et tout ce qu'elle avait éprouvé, excepté ce qu'elle aurait voulu se cacher pour jamais, et ce qu'un autre que l'Ingénu, plus accoutumé au monde et plus instruit des usages de la cour, aurait deviné facilement.

« Est-il possible qu'un misérable comme ce bailli ait eu le pouvoir de me ravir ma liberté ? Ah ! je vois bien qu'il en est des hommes comme des plus vils animaux ; tous peuvent nuire. Mais est-il possible qu'un moine, un jésuite confesseur du roi, ait contribué à

---

1. On m'informe.

mon infortune autant que ce bailli, sans que je puisse imaginer sous quel prétexte ce détestable fripon m'a persécuté ? M'a-t-il fait passer pour un janséniste ? Enfin, comment vous êtes-vous souvenue de moi ? Je ne le méritais pas, je n'étais alors qu'un sauvage. Quoi ! vous avez pu, sans conseil, sans secours, entreprendre le voyage de Versailles ! Vous y avez paru, et on a brisé mes fers ! Il est donc dans la beauté et dans la vertu un charme invincible qui fait tomber les portes de fer et qui amollit les cœurs de bronze ! »

À ce mot de *vertu*, des sanglots échappèrent à la belle Saint-Yves. Elle ne savait pas combien elle était vertueuse dans le crime qu'elle se reprochait.

Son amant continua ainsi : « Ange qui avez rompu mes liens, si vous avez eu (ce que je ne comprends pas encore) assez de crédit pour me faire rendre justice, faites-la donc rendre aussi à un vieillard qui m'a le premier appris à penser, comme vous m'avez appris à aimer. La calamité nous a unis ; je l'aime comme un père, je ne peux vivre ni sans vous ni sans lui.

— Moi ! que je sollicite le même homme qui... !

— Oui, je veux tout vous devoir, et je ne veux devoir jamais rien qu'à vous : écrivez à cet homme puissant, comblez-moi de vos bienfaits, achevez ce que vous avez commencé, achevez vos prodiges. » Elle sentait qu'elle devait faire tout ce que son amant exigeait. Elle voulut écrire, sa main ne pouvait obéir. Elle recommença trois fois sa lettre, la déchira trois fois ; elle écrivit enfin, et les deux amants sortirent après avoir embrassé le vieux martyr de la grâce efficace.

L'heureuse et désolée Saint-Yves savait dans quelle

maison logeait son frère ; elle y alla ; son amant pris un appartement dans la même maison.

À peine y furent-ils arrivés que son protecteur lui envoya l'ordre de l'élargissement[1] du bonhomme Gordon, et lui demanda un rendez-vous pour le lendemain. Ainsi, à chaque action honnête et généreuse qu'elle faisait, son déshonneur en était le prix. Elle regardait avec exécration cet usage de vendre le malheur et le bonheur des hommes. Elle donna l'ordre de l'élargissement à son amant, et refusa le rendez-vous d'un bienfaiteur qu'elle ne pouvait plus voir sans expirer de douleur et de honte. L'Ingénu ne pouvait se séparer d'elle que pour aller délivrer un ami. Il y vola. Il remplit ce devoir en réfléchissant sur les étranges événements de ce monde, et en admirant la vertu courageuse d'une jeune fille à qui deux infortunés devaient plus que la vie.

Chapitre 19

L'Ingénu, la belle Saint-Yves et leurs parents sont rassemblés

La généreuse et respectable infidèle était avec son frère l'abbé de Saint-Yves, le bon prieur de la Montagne et la dame de Kerkabon. Tous étaient également étonnés, mais leurs situations et leurs sentiments étaient bien différents. L'abbé de Saint-Yves pleurait

1. Libération.

ses torts aux pieds de sa sœur, qui lui pardonnait. Le prieur et sa tendre sœur pleuraient aussi, mais de joie. Le vilain bailli et son insupportable fils ne troublaient point cette scène touchante : ils étaient partis au premier bruit de l'élargissement de leur ennemi ; ils couraient ensevelir dans leur province leur sottise et leur crainte.

Les quatre personnages, agités de cent mouvements divers, attendaient que le jeune homme revînt avec l'ami qu'il devait délivrer. L'abbé de Saint-Yves n'osait lever les yeux devant sa sœur ; la bonne Kerkabon disait : « Je reverrai donc mon cher neveu. — Vous le reverrez, dit la charmante Saint-Yves, mais ce n'est plus le même homme ; son maintien, son ton, ses idées, son esprit, tout est changé ; il est devenu aussi respectable qu'il était naïf et étranger à tout. Il sera l'honneur et la consolation de votre famille ; que ne puis-je être aussi l'honneur de la mienne ! — Vous n'êtes point non plus la même, dit le prieur, que vous est-il donc arrivé qui ait fait en vous un si grand changement ? »

Au milieu de cette conversation, l'Ingénu arrive, tenant par la main son janséniste. La scène alors devint plus neuve et plus intéressante. Elle commença par les tendres embrassements de l'oncle et de la tante. L'abbé de Saint-Yves se mettait presque aux genoux de l'Ingénu, qui n'était plus l'*ingénu*. Les deux amants se parlaient par des regards qui exprimaient tous les sentiments dont ils étaient pénétrés. On voyait éclater la satisfaction, la reconnaissance, sur le front de l'un ; l'embarras était peint dans les yeux tendres et un peu égarés de l'autre. On était étonné qu'elle mêlât de la douleur à tant de joie.

Le vieux Gordon devint en peu de moments cher à toute la famille. Il avait été malheureux avec le jeune prisonnier, et c'était un grand titre. Il devait sa délivrance aux deux amants, cela seul le réconciliait avec l'amour ; l'âpreté de ses anciennes opinions sortait de son cœur ; il était changé en homme, ainsi que le Huron. Chacun raconta ses aventures avant le souper. Les deux abbés, la tante, écoutaient comme des enfants qui entendent des histoires de revenants, et comme des hommes qui s'intéressaient tous à tant de désastres. « Hélas ! dit Gordon, il y a peut-être plus de cinq cents personnes vertueuses qui sont à présent dans les mêmes fers que Mlle de Saint-Yves a brisés : leurs malheurs sont inconnus. On trouve assez de mains qui frappent sur la foule des malheureux, et rarement une secourable. » Cette réflexion si vraie augmentait sa sensibilité et sa reconnaissance ; tout redoublait le triomphe de la belle Saint-Yves ; on admirait la grandeur et la fermeté de son âme. L'admiration était mêlée de ce respect qu'on sent malgré soi pour une personne qu'on croit avoir du crédit à la cour. Mais l'abbé de Saint-Yves disait quelquefois : « Comment ma sœur a-t-elle pu faire pour obtenir sitôt ce crédit ? »

On allait se mettre à table de très bonne heure. Voilà que la bonne amie de Versailles arrive sans rien savoir de tout ce qui s'était passé ; elle était en carrosse à six chevaux, et on voit bien à qui appartenait l'équipage. Elle entre avec l'air imposant d'une personne de cour qui a de grandes affaires, salue très légèrement la compagnie, et, tirant la belle Saint-Yves à l'écart : « Pourquoi vous faire tant attendre ? Suivez-moi ; voilà vos diamants que vous aviez oubliés. » Elle ne put dire ces paroles si bas que l'Ingénu ne les entendît ; il vit les diamants ; le frère fut interdit ; l'oncle et la tante n'éprouvèrent qu'une surprise de bonnes gens qui n'avaient jamais vu une telle magnificence. Le jeune homme, qui s'était formé par un an de réflexions, en fit malgré lui et parut troublé un moment. Son amante s'en aperçut ; une pâleur mortelle se répandit sur son beau visage, un frisson la saisit, elle se soutenait à peine… « Ah ! madame, dit-elle à la fatale amie, vous m'avez perdue ! vous me donnez la mort ! » Ces paroles percèrent le cœur de l'Ingénu ; mais il avait déjà appris à se posséder[1] ; il ne les releva point, de peur d'inquiéter sa maîtresse devant son frère ; mais il pâlit comme elle.

Saint-Yves, éperdue de l'altération qu'elle apercevait sur le visage de son amant, entraîne cette femme hors de la chambre dans un petit passage, jette les diamants à terre devant elle. « Ah ! ce ne sont pas eux qui m'ont séduite, vous le savez ; mais celui qui les a donnés ne me reverra jamais. » L'amie les ramassait, et Saint-Yves ajoutait : « Qu'il les reprenne ou qu'il vous les donne ; allez, ne me rendez plus honteuse de moi-même. » L'ambassadrice enfin s'en retourna, ne pouvant comprendre les remords dont elle était témoin.

La belle Saint-Yves, oppressée, éprouvant dans son corps une révolution qui la suffoquait, fut obligée de se mettre au lit ; mais pour n'alarmer personne elle ne parla point de ce qu'elle souffrait, et, ne prétex-

1. Se maîtriser.

tant que sa lassitude, elle demanda la permission de prendre du repos ; mais ce fut après avoir rassuré la compagnie par des paroles consolantes et flatteuses, et jeté sur son amant des regards qui portaient le feu dans son âme.

Le souper, qu'elle n'animait pas, fut triste dans le commencement, mais de cette tristesse intéressante qui fournit des conversations attachantes et utiles, si supérieures à la frivole joie qu'on recherche, et qui n'est d'ordinaire qu'un bruit importun.

Gordon fit en peu de mots l'histoire du jansénisme et du molinisme[1], des persécutions dont un parti accablait l'autre, et de l'opiniâtreté de tous les deux. L'Ingénu en fit la critique, et plaignit les hommes qui, non contents de tant de discorde que leurs intérêts allument, se font de nouveaux maux pour des intérêts chimériques, et pour des absurdités inintelligibles. Gordon racontait, l'autre jugeait ; les convives écoutaient avec émotion et s'éclairaient d'une lumière nouvelle. On parla de la longueur de nos infortunes et de la brièveté de la vie. On remarqua que chaque profession a un vice et un danger qui lui sont attachés, et que, depuis le prince jusqu'au dernier des mendiants, tout semble accuser la nature. Comment se trouve-t-il tant d'hommes qui, pour si peu d'argent, se font les persécuteurs, les satellites[2], les bourreaux des autres hommes ? Avec quelle indifférence inhumaine un homme en place signe la destruction

1. Doctrine du jésuite espagnol Molina (1536-1600), qui s'oppose au jansénisme en affirmant que les actions humaines sont prises en compte par la prédestination divine.
2. Hommes de main, bras droits.

d'une famille, et avec quelle joie plus barbare des mercenaires l'exécutent !

« J'ai vu dans ma jeunesse, dit le bonhomme Gordon, un parent du maréchal de Marillac[1], qui, étant poursuivi dans sa province pour la cause de cet illustre malheureux, se cachait dans Paris sous un nom supposé. C'était un vieillard de soixante et douze ans. Sa femme, qui l'accompagnait, était à peu près de son âge. Ils avaient eu un fils libertin qui, à l'âge de quatorze ans, s'était enfui de la maison paternelle ; devenu soldat, puis déserteur, il avait passé par tous les degrés de la débauche et de la misère ; enfin, ayant pris un nom de terre, il était dans les gardes du cardinal de Richelieu (car ce prêtre, ainsi que Mazarin[2], avait des gardes) ; il avait obtenu un bâton d'exempt[3] dans cette compagnie de satellites. Cet aventurier fut chargé d'arrêter le vieillard et son épouse, et s'en acquitta avec toute la dureté d'un homme qui voulait plaire à son maître. Comme il les conduisait, il entendit ces deux victimes déplorer la longue suite des malheurs qu'elles avaient éprouvés depuis leur berceau. Le père et la mère comptaient parmi leurs plus grandes infortunes les égarements et la perte de leur fils. Il les reconnut ; il ne les conduisit pas moins en prison, en les assurant que Son Éminence devait être servie de préférence à tout. Son Éminence récompensa son zèle.

« J'ai vu un espion du père de La Chaise trahir son

---

1. Né en 1573 et décapité en 1632, adversaire du puissant ministre de Louis XIII, le cardinal de Richelieu (1585-1642).

2. Cardinal successeur de Richelieu à la tête de la France (1602-1661).

3. Insigne d'officier de cavalerie.

propre frère, dans l'espérance d'un petit bénéfice qu'il n'eut point ; et je l'ai vu mourir, non de remords, mais de douleur d'avoir été trompé par le jésuite.

« L'emploi de confesseur, que j'ai longtemps exercé, m'a fait connaître l'intérieur des familles ; je n'en ai guère vu qui ne fussent plongées dans l'amertume, tandis qu'au-dehors couvertes du masque du bonheur elles paraissaient nager dans la joie, et j'ai toujours remarqué que les grands chagrins étaient le fruit de notre cupidité effrénée.

— Pour moi, dit l'Ingénu, je pense qu'une âme noble, reconnaissante et sensible peut vivre heureuse ; et je compte bien jouir d'une félicité sans mélange avec la belle et généreuse Saint-Yves. Car je me flatte, ajouta-t-il, en s'adressant à son frère avec le sourire de l'amitié, que vous ne me refuserez pas, comme l'année passée, et que je m'y prendrai d'une manière plus décente. » L'abbé se confondit en excuses du passé et en protestations d'un attachement éternel.

L'oncle Kerkabon dit que ce serait le plus beau jour de sa vie. La bonne tante, en s'extasiant et en pleurant de joie, s'écriait : « Je vous l'avais bien dit que vous ne seriez jamais sous-diacre ; ce sacrement-ci vaut mieux que l'autre ; plût à Dieu que j'en eusse été honorée ! mais je vous servirai de mère. » Alors ce fut à qui renchérirait sur les louanges de la tendre Saint-Yves.

Son amant avait le cœur trop plein de ce qu'elle avait fait pour lui, il l'aimait trop pour que l'aventure des diamants eût fait sur son cœur une impression dominante. Mais ces mots qu'il avait trop entendus : *vous me donnez la mort*, l'effrayaient encore en secret et corrompaient toute sa joie, tandis que les éloges de sa belle maîtresse augmentaient encore son amour. Enfin on n'était plus occupé que d'elle ; on ne parlait que du bonheur que ces deux amants méritaient ; on s'arrangeait pour vivre tous ensemble dans Paris, on faisait des projets de fortune et d'agrandissement, on se livrait à toutes ces espérances que la moindre lueur de félicité fait naître si aisément. Mais l'Ingénu, dans le fond de son cœur, éprouvait un sentiment secret qui repoussait cette illusion. Il relisait ces promesses signées Saint-Pouange, et les brevets signés Louvois ; on lui dépeignit ces deux hommes tels qu'ils étaient, ou qu'on les croyait être. Chacun parla des ministres et du ministère avec cette liberté de table regardée en France comme la plus précieuse liberté qu'on puisse goûter sur la terre.

« Si j'étais roi de France, dit l'Ingénu, voici le ministre de la guerre que je choisirais : je voudrais un homme de la plus haute naissance, par la raison qu'il donne des ordres à la noblesse. J'exigerais qu'il eût été lui-même officier, qu'il eût passé par tous les grades, qu'il fût au moins lieutenant général des armées, et digne d'être maréchal de France ; car n'est-il pas nécessaire qu'il ait servi lui-même pour mieux connaître les détails du service ? et les officiers n'obéiront-ils pas avec cent fois plus d'allégresse à un homme de guerre qui aura comme eux signalé son courage, qu'à un homme de cabinet qui ne peut que deviner tout au plus les opérations d'une campagne, quelque esprit qu'il puisse avoir ? Je ne serais pas fâché que mon ministre fût généreux, quoique mon garde du trésor royal en fût quelquefois un peu embarrassé. J'aimerais qu'il eût un travail facile[1], et que même il se distinguât par cette gaieté d'esprit, partage d'un homme supérieur aux affaires, qui plaît tant à la nation et qui rend tous les devoirs moins pénibles. » Il désirait qu'un ministre eût ce caractère parce qu'il avait toujours remarqué que cette belle humeur est incompatible avec la cruauté.

Mons de Louvois n'aurait peut-être pas été satisfait des souhaits de l'Ingénu : il avait une autre sorte de mérite.

Mais, pendant qu'on était à table, la maladie de cette fille malheureuse prenait un caractère funeste ; son sang s'était allumé, une fièvre dévorante s'était déclarée, elle souffrait, et ne se plaignait point, attentive à ne pas troubler la joie des convives.

Son frère, sachant qu'elle ne dormait pas, alla au chevet de son lit ; il fut surpris de l'état où elle était. Tout le monde accourut ; l'amant se présentait à la suite du frère. Il était sans doute le plus alarmé et le plus attendri de tous ; mais il avait appris à joindre la discrétion à tous les dons heureux que la nature lui avait prodigués, et le sentiment prompt des bienséances commençait à dominer dans lui.

On fit venir aussitôt un médecin du voisinage. C'était un de ceux qui visitent leurs malades en courant, qui confondent la maladie qu'ils viennent de voir avec celle qu'ils voient, qui mettent une pratique aveugle dans une science à laquelle toute la maturité d'un discernement sain et réfléchi ne peut ôter son incertitude et ses dangers. Il redoubla le mal par sa

1. Facilité à travailler.

précipitation à prescrire un remède alors à la mode. De la mode jusque dans la médecine ! Cette manie était trop commune dans Paris.

La triste Saint-Yves contribuait encore plus que son médecin à rendre sa maladie dangereuse. Son âme tuait son corps. La foule des pensées qui l'agitaient portait dans ses veines un poison plus dangereux que celui de la fièvre la plus brûlante.

Chapitre 20

La belle Saint-Yves meurt, et ce qui en arrive

On appela un autre médecin : celui-ci, au lieu d'aider la nature et de la laisser agir dans une jeune personne dans qui tous les organes rappelaient la vie, ne fut occupé que de contrecarrer son confrère. La maladie devint mortelle en deux jours. Le cerveau, qu'on croit le siège de l'entendement, fut attaqué aussi violemment que le cœur, qui est, dit-on, le siège des passions.

Quelle mécanique incompréhensible a soumis les organes au sentiment et à la pensée ? comment une seule idée douloureuse dérange-t-elle le cours du sang, et comment le sang à son tour porte-t-il ses irrégularités dans l'entendement humain ? quel est ce fluide inconnu et dont l'existence est certaine, qui, plus prompt, plus actif que la lumière, vole en moins d'un clin d'œil dans tous les canaux de la vie, produit les sensations, la mémoire, la tristesse ou la joie, la raison ou le vertige, rappelle avec horreur ce qu'on voudrait oublier, et fait d'un animal pensant ou un objet d'admiration, ou un sujet de pitié et de larmes ?

C'était là ce que disait le bon Gordon ; et cette réflexion si naturelle, que rarement font les hommes, ne dérobait rien à son attendrissement ; car il n'était pas de ces malheureux philosophes qui s'efforcent d'être insensibles. Il était touché du sort de cette jeune fille, comme un père qui voit mourir lentement son enfant chéri. L'abbé de Saint-Yves était désespéré, le prieur et sa sœur répandaient des ruisseaux de larmes. Mais qui pourrait peindre l'état de son amant ? Nulle langue n'a des expressions qui répondent à ce comble des douleurs ; les langues sont trop imparfaites.

La tante, presque sans vie, tenait la tête de la mourante dans ses faibles bras, son frère était à genoux au pied du lit. Son amant pressait sa main, qu'il baignait de pleurs, et éclatait en sanglots ; il la nommait sa bienfaitrice, son espérance, sa vie, la moitié de lui-même, sa maîtresse, son épouse. À ce mot d'*épouse*, elle soupira, le regarda avec une tendresse inexprimable, et soudain jeta un cri d'horreur ; puis, dans un de ces intervalles où l'accablement et l'oppression des sens, et les souffrances suspendues, laissent à l'âme sa liberté et sa force, elle s'écria : « Moi, votre épouse ! Ah ! cher amant, ce nom, ce bonheur, ce prix, n'étaient plus faits pour moi ; je meurs, et je le mérite. Ô dieu de mon cœur ! ô vous que j'ai sacrifié à des démons infernaux, c'en est fait, je suis punie, vivez heureux. » Ces paroles tendres et terribles ne pouvaient être comprises ; mais elles portaient dans tous les cœurs l'effroi et l'attendrissement ; elle eut le courage de s'expliquer. Chaque mot fit frémir d'étonnement, de douleur et de pitié tous les assistants. Tous se réunissaient à détester l'homme puissant qui n'avait réparé une horrible injustice que par un crime, et qui avait forcé la plus respectable innocence à être sa complice.

« Qui ? vous, coupable ! lui dit son amant ; non, vous ne l'êtes pas ; le crime ne peut être que dans le cœur, le vôtre est à la vertu et à moi. »

Il confirmait ce sentiment par des paroles qui semblaient ramener à la vie la belle Saint-Yves. Elle se sentit consolée, et s'étonnait d'être aimée encore. Le vieux Gordon l'aurait condamnée dans le temps qu'il n'était que janséniste ; mais étant devenu sage, il l'estimait et il pleurait.

Au milieu de tant de larmes et de craintes, pendant que le danger de cette fille si chère remplissait tous les cœurs, que tout était consterné, on annonce un courrier de la cour. Un courrier ! et de qui ? et pourquoi ? C'était de la part du confesseur du roi pour le prieur de la Montagne ; ce n'était pas le père de La Chaise qui écrivait, c'était le frère Vadbled[1], son valet de chambre, homme très important dans ce temps-là, lui qui mandait aux archevêques les volontés du révérend père, lui qui donnait audience, lui qui promettait des bénéfices, lui qui faisait quelquefois expédier des lettres de cachet. Il écrivait à l'abbé de la Montagne *que Sa Révérence était informée des aven-*

---

1. En réalité Vatebled, jésuite proche du père de La Chaise.

tures de son neveu, que sa prison n'était qu'une méprise, que ces petites disgrâces arrivaient fréquemment, qu'il ne fallait pas y faire attention, et qu'enfin il convenait que lui prieur vînt lui présenter son neveu le lendemain, qu'il devait amener avec lui le bonhomme Gordon, que lui frère Vadbled les introduirait chez Sa Révérence et chez mons de Louvois, lequel leur dirait un mot dans son antichambre.

Il ajoutait que l'histoire de l'Ingénu et son combat contre les Anglais avaient été contés au roi, que sûrement le roi daignerait le remarquer quand il passerait dans la galerie, et peut-être même lui ferait un signe de tête. La lettre finissait par l'espérance dont on le flattait que toutes les dames de la cour s'empresseraient de faire venir son neveu à leurs toilettes, que plusieurs d'entre elles lui diraient : « Bonjour, monsieur l'Ingénu » ; et qu'assurément il serait question de lui au souper du roi. La lettre était signée : *Votre affectionné Vadbled, frère jésuite.*

Le prieur ayant lu la lettre tout haut, son neveu, furieux, et commandant un moment à sa colère, ne dit rien au porteur ; mais, se tournant vers le compagnon de ses infortunes, il lui demanda ce qu'il pensait de ce style. Gordon lui répondit : « C'est donc ainsi qu'on traite les hommes comme des singes ! On les bat et on les fait danser. » L'Ingénu, reprenant son caractère, qui revient toujours dans les grands mouvements de l'âme, déchira la lettre par morceaux et les jeta au nez du courrier : « Voilà ma réponse. » Son oncle, épouvanté, crut voir le tonnerre et vingt lettres de cachet tomber sur lui. Il alla vite écrire et excuser, comme il put, ce qu'il prenait pour l'emportement d'un jeune homme, et qui était la saillie d'une grande âme.

Mais des soins plus douloureux s'emparaient de tous les cœurs. La belle et infortunée Saint-Yves sentait déjà sa fin approcher ; elle était dans le calme, mais dans ce calme affreux de la nature affaissée qui n'a plus la force de combattre. « Ô mon cher amant ! dit-elle d'une voix tombante, la mort me punit de ma faiblesse ; mais j'expire avec la consolation de vous savoir libre. Je vous ai adoré en vous trahissant, et je vous adore en vous disant un éternel adieu. »

Elle ne se parait pas d'une vaine fermeté ; elle ne concevait pas cette misérable gloire de faire dire à quelques voisins : « Elle est morte avec courage. » Qui peut perdre à vingt ans son amant, sa vie, et ce qu'on appelle l'*honneur*, sans regrets et sans déchirements ? Elle sentait toute l'horreur de son état, et le faisait sentir par ces mots et par ces regards mourants qui parlent avec tant d'empire. Enfin elle pleurait comme les autres dans les moments où elle eut la force de pleurer.

Que d'autres cherchent à louer les morts fastueuses de ceux qui entrent dans la destruction avec insensibilité : c'est le sort de tous les animaux. Nous ne mourons comme eux avec indifférence que quand l'âge ou la maladie nous rend semblables à eux par la stupidité de nos organes. Quiconque fait une grande perte a de grands regrets ; s'il les étouffe, c'est qu'il porte la vanité jusque dans les bras de la mort.

Lorsque le moment fatal fut arrivé, tous les assistants jetèrent des larmes et des cris. L'Ingénu perdit l'usage de ses sens. Les âmes fortes ont des sentiments bien plus violents que les autres quand elles sont tendres. Le bon Gordon le connaissait assez pour craindre qu'étant revenu à lui il ne se donnât la mort. On écarta toutes les armes ; le malheureux jeune homme s'en aperçut ; il dit à ses parents et à Gordon, sans pleurer, sans gémir, sans s'émouvoir : « Pensez-vous donc qu'il y ait quelqu'un sur la terre qui ait le droit et le pouvoir de m'empêcher de finir ma vie ? » Gordon se garda bien de lui étaler ces lieux communs fastidieux par lesquels on essaie de prouver qu'il n'est pas permis d'user de sa liberté pour cesser d'être quand on est horriblement mal, qu'il ne faut pas sortir de sa maison quand on ne peut plus y demeurer, que l'homme est sur la terre comme un soldat à son poste : comme s'il importait à l'Être des êtres que l'assemblage de quelques parties de matière fût dans un lieu ou dans un autre ; raisons impuissantes qu'un désespoir ferme et réfléchi dédaigne d'écouter, et auxquelles Caton[1] ne répondit que par un coup de poignard.

Le morne et terrible silence de l'Ingénu, ses yeux sombres, ses lèvres tremblantes, les frémissements de son corps, portaient dans l'âme de tous ceux qui le regardaient ce mélange de compassion et d'effroi qui enchaîne toutes les puissances de l'âme, qui exclut tout discours, et qui ne se manifeste que par des mots entrecoupés. L'hôtesse et sa famille étaient accourues ; on tremblait de son désespoir, on le gardait à vue, on observait tous ses mouvements. Déjà le

1. Caton d'Utique, homme politique adepte du stoïcisme qui se suicida en 46 avant Jésus-Christ après la victoire de Jules César.

corps glacé de la belle Saint-Yves avait été porté dans une salle basse, loin des yeux de son amant, qui semblait la chercher encore, quoiqu'il ne fût plus en état de rien voir.

Au milieu de ce spectacle de la mort, tandis que le corps est exposé à la porte de la maison, que deux prêtres à côté d'un bénitier récitent des prières d'un air distrait, que des passants jettent quelques gouttes d'eau bénite sur la bière par oisiveté, que d'autres poursuivent leur chemin avec indifférence, que les parents pleurent et qu'un amant est prêt de s'arracher la vie, le Saint-Pouange arrive avec l'amie de Versailles.

Son goût passager, n'ayant été satisfait qu'une fois, était devenu de l'amour. Le refus de ses bienfaits l'avait piqué. Le père de La Chaise n'aurait jamais pensé à venir dans cette maison ; mais Saint-Pouange, ayant tous les jours devant les yeux l'image de la belle Saint-Yves, brûlant d'assouvir une passion qui par une seule jouissance avait enfoncé dans son cœur l'aiguillon des désirs, ne balança pas à venir lui-même chercher celle qu'il n'aurait pas peut-être voulu revoir trois fois si elle était venue d'elle-même.

Il descend de carrosse ; le premier objet qui se présente à lui est une bière ; il détourne les yeux avec ce simple dégoût d'un homme nourri dans les plaisirs, qui pense qu'on doit lui épargner tout spectacle qui pourrait le ramener à la contemplation de la misère humaine. Il veut monter. La femme de Versailles demande par curiosité qui on va enterrer ; on prononce le nom de Mlle de Saint-Yves. À ce nom, elle pâlit et poussa un cri affreux ; Saint-Pouange se retourne ; la surprise et la douleur saisissent son âme. Le bon Gordon était là, les yeux remplis de larmes. Il interrompt ses tristes prières pour apprendre à l'homme de cour toute cette horrible catastrophe. Il lui parle avec cet empire que donnent la douleur et la vertu. Saint-Pouange n'était point né méchant ; le torrent des affaires et des amusements avait emporté son âme, qui ne se connaissait pas encore. Il ne touchait point à la vieillesse, qui endurcit d'ordinaire le cœur des ministres ; il écoutait Gordon les yeux baissés, et il en essuyait quelques pleurs qu'il était étonné de répandre : il connut le repentir.

« Je veux voir absolument, dit-il, cet homme extraordinaire dont vous m'avez parlé ; il m'attendrit presque autant que cette innocente victime dont j'ai causé la mort. » Gordon le suit jusqu'à la chambre où le prieur, la Kerkabon, l'abbé de Saint-Yves et quelques voisins rappelaient à la vie le jeune homme retombé en défaillance.

« J'ai fait votre malheur, lui dit le sous-ministre ; j'emploierai ma vie à le réparer. » La première idée qui vint à l'Ingénu fut de le tuer et de se tuer lui-même après. Rien n'était plus à sa place ; mais il était sans armes et veillé de près. Saint-Pouange ne se rebuta point des refus accompagnés du reproche, du mépris et de l'horreur qu'il avait mérités, et qu'on lui prodigua. Le temps adoucit tout. Mons de Louvois vint enfin à bout de faire un excellent officier de l'Ingénu, qui a paru sous un autre nom à Paris et dans les armées, avec l'approbation de tous les honnêtes gens, et qui a été à la fois un guerrier et un philosophe intrépide.

Il ne parlait jamais de cette aventure sans gémir ; et cependant sa consolation était d'en parler. Il chérit la mémoire de la tendre Saint-Yves jusqu'au dernier moment de sa vie. L'abbé de Saint-Yves et le prieur eurent chacun un bon bénéfice ; la bonne Kerkabon aima mieux voir son neveu dans les honneurs militaires que dans le sous-diaconat. La dévote de Versailles garda les boucles de diamants, et reçut encore un beau présent. Le père Tout-à-tous eut des boîtes de chocolat, de café, de sucre candi, de citrons confits, avec les *Méditations du révérend père Croiset*[1] et *La Fleur des saints*[2] reliées en maroquin. Le bon Gordon vécut avec l'Ingénu jusqu'à sa mort dans la plus intime amitié ; il eut un bénéfice aussi, et oublia pour jamais la grâce efficace et le concours concomitant[3]. Il prit pour sa devise : *malheur est bon à quelque chose*. Combien d'honnêtes gens dans le monde ont pu dire : *malheur n'est bon à rien !*

---

1. Ouvrage du jésuite Jean Croiset (1656-1738).
2. Ouvrage du jésuite Pierre Ribadeneira (1527-1611).
3. Grâce divine qui accompagne les actions humaines, selon les jansénistes.

Table des chapitres

Du tableau

au texte

Valérie Lagier

Du tableau au texte

White Cloud,
grand chef des Iowas
de George Catlin

… l'Autre, cet étranger si différent…

Dans *L'Ingénu*, paru en 1767, Voltaire s'interroge — comme l'avaient fait avant lui Montaigne dans *Des cannibales* et *Des coches* (*Essais*, 1580) et Rousseau dans son *Discours sur l'origine et les fondements de l'inégalité parmi les hommes* (1755) — sur la question de la différence et sur les mérites de l'homme sauvage confronté à la civilisation. D'autres, après lui, poursuivront cette réflexion, en particulier Diderot dans le *Supplément au voyage de Bougainville* (1796). Cette préoccupation des philosophes pour l'Autre, cet étranger si différent, homme né et élevé au contact de la nature vierge, trouve sa source dans les relations de voyage qui fleurissent au fur et à mesure de la conquête des territoires lointains, sous la plume d'explorateurs, de colons ou de missionnaires. De la fin du XVe au XVIIIe siècle, nombreux sont les carnets de voyage et récits où sont décrits ces peuples nouveaux, Indiens et autres indigènes, révélant à l'Europe qui les découvre une autre manière de vivre et de croire. Dans ce miroir sans fard, les Européens prennent conscience des valeurs qui fondent leur univers, et en perçoivent la relativité. Dans nombre d'écrits cependant, l'analyse se fait en faveur de la civilisation occidentale et de sa vision chrétienne du monde. L'homme sauvage est perçu comme un humain à l'état brut, ignorant des bienfaits du savoir scientifique et technique, des valeurs morales et philosophiques que les Occidentaux pensent devoir leur apporter comme un présent. Cette vision, colportée par ceux qui, explorateurs, marins, marchands ou missionnaires, ont un intérêt mercantile ou prosélyte à entreprendre la conquête des territoires et la soumission des peuples rencontrés, est loin d'être partagée par les philosophes qui s'interrogent sur les vertus de la colonisation. Ceux-ci, observateurs distanciés de l'expansionnisme européen, développent l'idée que les peuples naturels n'ont aucun besoin de singer notre mode de vie ni nos croyances, que leur état de liberté les met en contact avec les valeurs fondamentales de l'humanité, la pureté originelle que la civilisation, sous couvert de progrès, nous a fait graduellement abandonner et oublier. Le mythe du « bon sauvage », pur et innocent, franc et loyal, doué de bon sens, né des réflexions de Montaigne ou de Rousseau, fustige en retour la cupidité et la cruauté des Européens, avides de richesses et de terres qu'ils s'arrogent au détriment d'autres peuples.

Manichéenne et idéaliste, cette analyse des choses est légèrement éloignée de celle développée par Voltaire dans *L'Ingénu*. Son Huron, homme de la nature confronté au monde civilisé, doué de bon sens mais également d'une certaine rudesse de mœurs, perd sa naïveté et sa brutalité premières au contact des nourritures de l'esprit et du cœur, devenant, en fin de parcours, « un excellent officier [...], avec l'approbation de tous les honnêtes gens, [...] à la fois un guerrier et un philosophe intrépide ». En un mot, il se « civilise », et les qualités louées par Voltaire chez le Huron sont avant tout celles qui sont imputables à son « éducation sauvage » : « N'ayant rien appris dans son enfance, il n'avait point appris de préjugés. » Il vante aussi sa liberté de regard et sa faculté de jugement, qualités qui ne demandent qu'à être nourries et enrichies par les idées et le savoir des grands littérateurs et philosophes. Cet Indien arraché de ses terres est, malgré la sauvagerie de ses manières, dépositaire d'une antique sagesse qui lui fait voir « les choses comme elles sont ». Cet être libre, frottant les valeurs de son monde aux réalités de la cour de France, trouve en *White Cloud, grand chef des Iowas* un frère de sang, malgré la distance temporelle qui les sépare. Peint par George Catlin près de quatre-vingts ans après la rédaction du texte de Voltaire, ce portrait et son modèle viennent témoigner de l'existence d'un monde en train de disparaître, celui des nombreuses tribus indiennes, riches de coutumes et de valeurs morales piétinées par deux siècles et demi de colonisation européenne.

... les vivants monuments d'une noble race...

Comme l'Ingénu, Mew-hu-she-kaw, aussi dénommé White Cloud (Nuage blanc), grand chef des Iowas, a quitté sa terre indienne pour faire le voyage d'Angleterre et de France entre 1844 et 1845 et être introduit à la cour. Ce membre éminent du peuple des

Iowas accompagnait, comme treize autres membres de sa tribu, le « Musée indien » du peintre américain George Catlin, en tournée pendant de nombreuses années dans toute l'Europe. Le *Musée*, constitué par George Catlin au cours de ses périples au cœur des tribus indiennes entre 1830 et 1836, véritable reportage ethnographique en images, rassemblait près de six cents peintures, portraits d'Indiens et paysages du Grand Ouest, mais aussi des costumes et parures, des objets traditionnels et même un ours grizzli. Montrée d'abord dans toute l'Amérique à partir de 1837, cette impressionnante collection a ensuite circulé en Angleterre, dès 1839. L'adjonction d'une troupe d'authentiques Indiens, d'abord Ojibwas, puis Iowas, donne à la manifestation une notable envergure dès 1843. À Londres, la troupe d'Ojibwas est reçue par la reine Victoria, à Paris, c'est Louis-Philippe qui fait les honneurs des Tuileries aux Indiens de la tribu iowa et à leur chef Nuage blanc. Une représentation est donnée en faveur de la famille royale, en marge de la présentation du Musée indien qui a ouvert ses portes dans les salles du Louvre. Cette exposition comptera parmi ses visiteurs les plus prestigieux George Sand, Victor Hugo, Charles Baudelaire et Prosper Mérimée. Ce dernier essaiera d'ailleurs de convaincre le gouvernement de se porter acquéreur de cette impressionnante collection, rare trace visuelle d'une civilisation en voie d'extinction. George Catlin avait entrepris cette gigantesque quête au cœur même des terres indiennes, portraiturant avec précision les membres éminents de chaque tribu, fixant leurs traits et leurs parures, pour, disait-il, leur permettre de « renaître sur la toile et devenir, pour les siècles à venir, les vivants monuments d'une noble race ». *Nuage blanc, grand chef des Iowas* vient témoigner, s'il en était besoin, que Catlin a parfaitement rempli la première de ses missions. Quant à la seconde, il ne pourra en voir la réalisation de son vivant. Sa collection n'intégrera la Smithonian's Institution de Washington que longtemps après sa mort. Ces tableaux et les écrits laissés par l'artiste sont devenus aujourd'hui une inépuisable source historique pour la connaissance de tribus dont la plupart ont été irrémédiablement réduites à néant par la ruée vers l'or et la conquête de l'Ouest américain.

... la fierté d'un noble esprit...

Le portrait de White Cloud ne faisait pas partie de la Galerie indienne originale : il a été peint lors du séjour du chef iowa à Paris, entre 1844 et l'été de 1845, qui voit le retour en Amérique des membres de la tribu. Vénérable guerrier, White Cloud n'est rien moins que le chef du clan de l'« Ours brun », ou grizzli, qui partageait, avec le clan du Bison, le gouvernement de la tribu. Le pouvoir de chacun des clans s'exerçait alternativement selon les saisons, le clan de l'Ours en automne et en hiver, le clan du Bison au printemps et en été. White Cloud est donc un des plus hauts dignitaires de la nation iowa lorsqu'il accompagne la délégation indienne en tournée en Europe. Il est entouré du sorcier de la tribu, de guerriers, de braves et de squaws, dont sa femme, Ruton-ye-we-ma. Tous feront ainsi l'objet d'un portrait individuel et poseront ensemble pour plusieurs portraits collectifs. Georges Catlin réalise ici une vue très rapprochée, qui nous détaille les attributs vestimentaires d'un personnage devenu historique pour les membres de sa tribu, mais qui nous fait aussi entrer dans l'intimité de son âme. Représentation d'apparat, ce portrait met en scène un homme vivant tout autant qu'un mythe. Car, à travers cette débauche d'ornements, de signes distinctifs d'un rang et de symboles d'appartenance, l'artiste a su rendre la douceur mélancolique et la fierté d'un noble esprit. Il arbore un crâne sans aucune trace de chevelure. Cette spécificité valait aux Iowas, comme aux Sac et aux Fox, le surnom de « Crânes rasés », décerné par les Sioux et les autres tribus. Son front est ceint d'un bandeau de fourrure de loutre dans lequel est fixée une coiffure faite de plumes d'aigle et d'une queue de cerf, teinte en rouge. La queue de cerf et les tatouages sont les signes distinctifs des guerriers, le bandeau de loutre celui des chefs. Son visage, coloré de pigment rouge, arbore un impressionnant tatouage fait de quatre traits de couleur verte. Le vert est la couleur du clan de l'Ours et les quatre marques évoquent la trace de sa patte. Sur son manteau en fourrure de loup blanc, le guerrier porte un imposant collier, fait de griffes de grizzli montées sur un cercle de peau et reliées entre elles par un rang de perles. D'autres colliers de perles et de coquillages, des boucles d'oreilles, fixées sur le haut et le bas des lobes, complètent la riche parure du personnage. Au cœur de cette débauche de signes colorés, le regard, calme et serein, légèrement triste, exprime toute la sagesse d'un homme lucide sur le devenir de son peuple. Entre la première rencontre entre George Catlin et la tribu des Iowas vers 1830 et le voyage en France de 1844, la tribu a été chassée de ses terres d'Iowa par les colons et a été forcée de s'installer au Nebraska puis au Kansas, dans une réserve. Privés de leurs terres des grandes plaines du centre, les Iowas ne peuvent plus chasser l'ours, le loup ou le bison, si présents dans l'histoire et l'imaginaire de leur peuple. Très bientôt, entre 1850 et 1860, la population de cette tribu va s'appauvrir et les coutumes vestimentaires évolueront pour tenir compte de la difficulté d'approvisionnement en peaux. Ce portrait est donc bien, comme le craignait George Catlin, un effort désespéré pour conserver l'image de coutumes vestimentaires ancestrales à l'aube de leur disparition. Ancêtre d'une des plus importantes lignées d'Indiens Iowas, White Cloud est, à travers le pinceau de l'artiste, conservé vivant à la mémoire des ultimes survivants de cette tribu.

... une gamme colorée d'une rare violence...

Document irremplaçable, ce portrait est aussi une œuvre d'art à l'étonnante modernité de traitement, riche d'une gamme colorée d'une rare violence pour l'époque. Cette audace de couleurs ne manquera pas de soulever l'enthousiasme de Charles Baudelaire, lorsque deux portraits d'Indiens de Catlin seront présentés au Salon de 1846. « Le rouge, la couleur du sang, la couleur de la vie, abondait tellement dans ce sombre musée, que c'était une ivresse. [...] le rouge, cette couleur si obscure, si épaisse, plus difficile à pénétrer que les yeux d'un serpent, — le vert, cette couleur calme et gaie et souriante de la nature, je les retrouve chantant leur antithèse mélodique sur le visage de ces deux héros. — Ce qu'il y a de certain, ajoute-t-il, c'est que tous leurs tatouages et coloriages étaient faits selon les gammes naturelles et harmoniques. » Pour Baudelaire, Catlin rejoint, dans ses recherches d'harmonie chromatique, les hardiesses de Delacroix. Il n'hésite d'ailleurs pas à rapprocher les deux artistes à ce sujet dans un autre passage de sa critique du Salon de 1846 : « La couleur de Delacroix est souvent plaintive, et la couleur de M. Catlin souvent terrible. » On ne sait si ces commentaires enthousiastes concernent ce portrait de White Cloud, mais il pourrait sans effort les soutenir. On sait en revanche qu'un des deux tableaux présentés au Salon était le portrait de *Shon-ta-yi-ga, Little Wolf* (Petit Loup) de 1844, actuellement conservé au Smithsonian American Art Museum. Si Catlin reçut un accueil relativement enthousiaste lors de la présentation de sa galerie de portraits indiens, ce voyage se solda, pour lui comme pour plusieurs membres de la délégation indienne, par des décès douloureux. George Catlin perdit sa femme puis son fils durant ce périple. Quant aux Indiens, plusieurs tombèrent malades durant l'hiver 1844-1845, Shon-ta-yi-ga succomba à une crise cardiaque, sa femme et son fils disparurent aussi.

... Ce laminage des individus et des peuples...

Traqués dans leur pays, exhibés en Europe pour tenter de sauver aux yeux du monde leur histoire et leur identité, les Indiens, qu'ils soient iowas, sioux ou même hurons, sont aussi menacés par des maladies auxquelles leurs corps ne sont pas préparés. Au fond, si l'histoire de l'Ingénu est celle de la naissance d'une âme, ou du moins de sa croissance, c'est aussi, comme celle des Iowas qu'incarne leur chef White Cloud, celle d'une disparition. Les repères culturels d'origine, les réflexes naturels sont abandonnés au profit de repères appris mais pas toujours compris par l'Ingénu. Il s'adapte à un nouveau monde, il abandonne ses croyances et ses convictions, ou il meurt. L'assimilation de l'Ingénu, aussi terrible en un sens que la brutale déportation des Iowas, fait disparaître son identité. Ce laminage des individus et des peuples s'effectue sans que jamais se manifeste la moindre possibilité de dialogue et d'échange entre ces deux mondes, la civilisation occidentale sûre de ses valeurs et la nation indienne, qui, malgré sa résistance, n'a d'autre choix que de céder et disparaître. Entre les deux, un océan et des millénaires d'histoire séparée qui ont conduit des humains, si proches dans leurs préoccupations naturelles, à irrémédiablement s'éloigner et ne plus se comprendre dès lors que leurs cultures diffèrent.

[illegible] leurs corps [illegible] pas [illegible] Au fond, l'histoire de l'Indien est celle de la [illegible] d'une fin, [illegible] aussi comme celle des [illegible] White Cloud, [illegible] culturels, comme les reflets naturels [illegible] conquis par l'argent. Il [illegible] monde, il abandonne [illegible] l'assimilation de l'Indien [illegible] que la [illegible] Iowas [illegible] disparition [illegible] Ce langage de l'individu et des peuples [illegible] se manifeste [illegible] position de [illegible] signer et décrire [illegible] deux [illegible] ses valeurs [illegible] que la culture dominante [illegible] des humains, [illegible] leurs [illegible] naturelles [illegible] culture [illegible] différent.

Le texte
en perspective

Éloïse Lièvre

Mouvement littéraire

Les Lumières : religion, nature et société

1.

La technique de la surimpression

L'incipit du conte situe l'histoire de l'Ingénu « en l'année 1689 » alors que Voltaire écrit en 1767. L'écrivain utilise ainsi la technique de la surimpression de deux époques qui peuvent s'éclairer l'une l'autre. Pour cela, Voltaire introduit dans la fiction datée de la fin du XVIIe siècle des clés susceptibles d'attirer l'attention du lecteur : derrière Mme du Belloy peut être reconnue la maîtresse de Louvois, Mme du Fresnoy, mais les contemporains ont aussi identifié en M. de Pouange, pourtant véritable collaborateur du ministre de Louis XIV, le comte de Saint-Florentin, secrétaire d'État de Louis XV et de Louis XVI ; le portrait que l'Ingénu fait du ministre selon son cœur au chapitre 19 pourrait être celui de Choiseul.

La surimpression entraîne parfois des anachronismes. Ainsi, par exemple, en 1689, Bolingbroke, homme d'État et écrivain anglais admiré de Voltaire et mentionné dans le premier chapitre, n'a que onze ans, et Boursier dix !

Outre ces clés et ces références, qu'est-ce qui permet au lecteur du XVIIIe siècle comme à celui du XXIe cette mise en perspective ?

1. *La France de 1689*

Le contexte politique de la fin du XVIIe siècle est caractérisé par deux faits majeurs, l'un de politique extérieure, l'autre concernant les affaires intérieures.

Pour comprendre le premier, il est nécessaire de revenir au règne d'Henri IV et à la fondation en 1608 de l'Acadie et de la ville de Québec par Samuel de Champlain, explorateur du fleuve Saint-Laurent, « père de la Nouvelle-France » et auteur d'un ouvrage intitulé *Les Sauvages*, qui décrit pour la première fois les populations indigènes, Hurons et Iroquois. Les missionnaires se succèdent alors pour évangéliser la population : d'abord les frères récollets en 1615 puis, en 1625, les jésuites. La rivalité entre la Nouvelle-France et la Nouvelle-Angleterre se fait sentir dès cette époque : en 1629, l'Angleterre est forcée de rendre à la France les territoires qu'elle avait pris, ce qu'elle ne fera que trois ans plus tard. Le statu quo est préservé, permettant à la France de mener une première guerre contre les Iroquois en 1641 et de fonder Ville-Marie en 1642. Future Montréal, elle est renforcée par l'avènement de Louis XVI qui charge Colbert, en 1663, de réorganiser la Nouvelle-France et surtout d'en faire une province française intégrée au domaine royal. En 1681, Cavelier de La Salle descend le Mississippi jusqu'au golfe du Nouveau-Mexique. Cette expansion provoque de nombreux affrontements avec les Anglais présents le long des côtes américaines. Les Français sortiront cependant vainqueurs du conflit puisqu'en 1718 sera fondée la Nouvelle-Orléans et qu'en 1731 la Louisiane, appelée ainsi en hommage au roi Louis XIV, deviendra à son tour province du domaine royal.

Dans les années 1680, la rivalité entre la France et l'Angleterre n'est pas seulement coloniale. En effet, en 1688, le roi catholique Jacques II est renversé par Guillaume d'Orange, beau-fils du premier et choisi pour régner par l'opposition parlementaire. Jacques II trouve alors refuge en France. Guillaume d'Orange saisit ce prétexte pour laisser ses navires de guerre aborder sans raison mais avec agressivité les côtes françaises : c'est une de ces invasions déloyales que l'Ingénu repousse au chapitre 7 du conte. En février 1689, Guillaume d'Orange devient roi d'Angleterre. Il signe le *Bill of Rights,* reconnaissant ainsi le principe de la monarchie constitutionnelle, que les philosophes des Lumières — Voltaire le premier — considèrent comme le régime politique idéal. Le conflit entre la France, où se renforce de jour en jour la monarchie absolue, et l'Angleterre, tournée vers l'équilibre des pouvoirs et le respect des libertés individuelles, est donc aussi politique et idéologique.

2. *La révocation de l'édit de Nantes*

En 1685, Louis XIV manifeste son despotisme lorsqu'il révoque l'édit de Nantes, sous l'influence des jésuites et de son épouse Mme de Maintenon. Soit quatre années avant la date à laquelle Voltaire choisit de situer l'histoire de l'Ingénu. Cet édit avait été signé en 1598 par Henri IV pour préserver la paix intérieure du royaume en accordant aux protestants la liberté religieuse et la liberté de culte. Pour faire respecter cette révocation, Louvois mène une campagne de conversion forcée en obligeant les protestants à loger ses « dragons », ayant pour mission d'arracher coûte que coûte les conversions : ce sont les dragonnades. Cette répression se solde par un exil massif des protestants, avec des conséquences économiques et culturelles catastrophiques pour la France, les huguenots étant commerçants, artisans et érudits. C'est cette réalité qu'évoque le chapitre 8 de *L'Ingénu*. La radicalisation religieuse de Louis XIV ne touche cependant pas seulement les protestants. Elle atteint bientôt également, toujours sous l'impulsion des jésuites, largement introduits dans les milieux dirigeants, les jansénistes. Dès 1664-1665, les religieuses de Port-Royal, l'abbaye réformée par Angélique Arnauld et refuge des jansénistes, sont excommuniées et persécutées. En 1679, le couvent de Port-Royal se voit interdire l'accueil des novices. Enfin, la persécution culmine en 1709 avec la destruction complète du monastère. Trois ans plus tard, le pape Clément XI condamne les 101 propositions tirées du livre *Réflexions morales* du janséniste Pasquier Quesnel, qui est précisément celui à qui Voltaire attribue la paternité de son conte. L'autre janséniste du conte, Gordon, peut aussi être un personnage à clé : il pourrait s'agir de Lemaître de Sacy, solitaire de Port-Royal, traducteur de la Bible, et emprisonné à la Bastille de 1666 à 1668.

3. *La France de 1767*

La rivalité coloniale entre la France et l'Angleterre, dont on a vu les prémisses au XVIIe siècle, aboutit au XVIIIe siècle à la guerre de Sept Ans, de 1756 à 1763. Engendrée par le développement de l'empire et du commerce maritime français qui inquiète les Anglais, elle oppose la France alliée à l'Autriche, à la Russie, à la Suède et à la Pologne, à l'Angleterre et à la Prusse. Les combats ont donc lieu à la fois en Europe et dans les colonies, c'est-à-dire au Canada et en Inde. C'est cette guerre désastreuse qui change le destin de la France puisqu'elle se solde par la destruction de l'Empire colonial français, entièrement cédé aux Britanniques lors du traité de Paris en 1763. La responsabilité, du moins pour le Canada, incombe à Louis XV, qui abandonne la province défendue seulement par le général Montcalm et ses quatorze mille hommes : ils résistent héroïquement plusieurs mois mais doivent s'incliner le 8 septembre 1760, date à laquelle la Nouvelle-France disparaît pour devenir une province anglaise. Voltaire ironise sur cette défaite en plaçant au chapitre 2 dans la bouche de Mlle de Kerkabon des propos prophétiques démentis par l'histoire récente : « [...] nous leur prendrons la Jamaïque et la Virginie avant qu'il soit peu de temps » (p. 21). En fait, Voltaire n'a jamais eu beaucoup de respect pour la colonie française du Canada, moins intéressante selon lui que les provinces anglaises, mais déplore cependant sa perte et l'affaiblissement de la puissance française.

4. *Voltaire et les grandes affaires religieuses*

À l'intérieur du pays, les oppositions religieuses et les actes de fanatisme qu'elles entraînent sont toujours d'actualité. Voltaire s'engage dans ces grandes « affaires » qui secouent l'État. Les premières touchent des protestants, accusés de meurtre à cause de leur religion. Jean Calas est exécuté pour avoir tué son fils qui voulait se convertir au catholicisme. En réalité, il s'agit d'une erreur judiciaire causée par un préjugé antiprotestant. Voltaire obtient la réhabilitation de Calas en 1765, notamment grâce à son *Traité sur la tolérance à l'occasion de la mort de Jean Calas.* L'affaire Sirven ressemble en tout point à la précédente. Voici comment la raconte Voltaire, qui prend cette fois les choses en main suffisamment tôt pour sauver les persécutés, à son ami Damilaville dans une lettre du 1er mars 1765, dans laquelle point l'ironie du conte voltairien :

> Un feudiste [conservateur des registres féodaux] de Castres, nommé Sirven, avait trois filles. Comme la religion de cette famille est la prétendue réformée, on enlève, entre les bras de sa femme, la plus jeune de leurs filles. On la met dans un couvent ; on la fouette pour lui mieux apprendre son catéchisme ; elle devient folle ; elle va se jeter dans un puits, à une lieue de la maison de son père. Aussitôt, les zélés ne doutent pas que le père, la mère et les sœurs n'aient noyé cet enfant. Il passait pour constant, chez les catholiques de la province, qu'un des points capitaux de la religion protestante est que les pères et mères sont tenus de pendre, d'égorger ou de noyer tous leurs enfants qu'ils soupçonneront avoir quelques penchants pour la religion romaine.

Enfin, l'année qui précède la rédaction et la publication de *L'Ingénu*, Voltaire est obsédé par une autre affaire, concernant non plus un protestant mais relevant du même fanatisme religieux que les deux premières. Un jeune homme, le chevalier de La Barre, qui est passé devant une procession sans se découvrir, est accusé sans preuve d'avoir profané un crucifix, sacrilège auquel s'ajoute le fait d'avoir chanté des chansons impies et possédé des livres libertins, dont le *Dictionnaire philosophique* de Voltaire. Il est condamné à avoir la langue coupée et la tête tranchée avant que ses restes soient jetés au feu. Le *Dictionnaire philosophique* est brûlé avec son corps. Voltaire est anéanti par cette nouvelle manifestation du fanatisme (lettre du 16 juillet 1766) :

> L'atrocité de cette aventure me saisit d'horreur et de colère. Je me repens bien de m'être ruiné à bâtir et à faire du bien dans la lisière d'un pays où l'on commet de sang-froid, et en allant dîner, des barbaries qui feraient frémir des sauvages ivres. Et c'est là ce peuple si doux, si léger et si gai ! Arlequins anthropophages, je ne veux plus entendre parler de vous. [...] L'Inquisition est fade en comparaison de vos jansénistes de grand'chambre et de Tournelle.

C'est dans ces circonstances effrayantes, indignes des peuples les plus sauvages, justifiant le mot d'ordre d'« écrasons l'Infâme », que naît *L'Ingénu*.

Entre 1689 et 1767, la situation s'inverse. Ce sont maintenant les jansénistes, et non plus les jésuites, interdits à leur tour, qui occupent les positions stratégiques au Parlement et dans l'administration. En 1761, un arrêt du parlement de Paris, repris par les parlements de province, supprime la Compagnie de

Jésus et, en 1664, Mme de Pompadour, favorite de Louis XV très influente sur le gouvernement et protectrice des arts et de la culture, fait expulser les jésuites de France par le ministre Choiseul. L'Espagne suit bientôt la France, mais il faut attendre 1773 pour que le pape abolisse à son tour la Société de Jésus.

Ce retournement de situation sert les intérêts du philosophe condamnant, notamment par l'intermédiaire de son Ingénu, tout préjugé, tout sectarisme, toute intolérance (p. 70) :

> Je vous plains d'être opprimé, mais je vous plains d'être janséniste. Toute secte me paraît le ralliement de l'erreur.

2.

Dieu, la religion et les philosophes

La critique des jésuites et des jansénistes, la condamnation de tout fanatisme ne constituent que le versant politique des questions religieuses qui occupent la société du XVIIIe siècle et les philosophes en particulier. Voltaire utilise le personnage de l'Ingénu pour exposer ses idées non seulement sur l'organisation institutionnelle de la religion, mais aussi sur ses fondements spirituels et intellectuels, idées qui sont également le fer de lance des encyclopédistes.

1. *La critique de la métaphysique*

Défendant le principe de la raison contre celui de la foi, l'expérience contre la spéculation, les encyclopédistes montrent les limites de la métaphysique, discipline consacrée à la connaissance de Dieu, à l'origine de l'univers, à l'étude des rapports de l'âme et du corps, à l'origine du mal. Tous ces objets sont des « abîmes de ténèbres » (p. 53) sur lesquels l'esprit humain ne peut qu'avoir une prise incertaine qui le condamne à la seule attitude raisonnable du doute. Pour les philosophes, la connaissance ne peut se construire que sur des faits positivement observables. C'est ainsi que Voltaire s'exalte devant les découvertes du physicien Isaac Newton (1642-1727), dont il vulgarise les théories en 1738 dans *Éléments de la philosophie de Newton*, que Denis Diderot (1713-1784) ouvre la voie d'un matérialisme fondé sur l'expérimentation biologique et chimique. Le programme d'éducation dressé par Voltaire dans les chapitres centraux du conte reflète ces positions : l'Ingénu commence par la géométrie et la physique, et ne s'attaque qu'en troisième lieu à la métaphysique pour aussitôt la mettre à l'écart avec suspicion (p. 52) :

> Ensuite il lut le premier volume de la *Recherche de la vérité.* Cette nouvelle lumière l'éclaira. « Quoi ! dit-il, notre imagination et nos sens nous trompent à ce point ! quoi ! les objets ne forment point nos idées, et nous ne pouvons nous les donner nous-mêmes ! » Quand il eut lu le second volume il ne fut plus si content, et il conclut qu'il est plus aisé de détruire que de bâtir. [...] « Votre Malebranche [...] me paraît avoir écrit la moitié de son livre avec sa raison, et l'autre avec son imagination et ses préjugés. »

2. *La solution du déisme*

Le principal grief que Voltaire et les encyclopédistes font aux différentes « sectes » religieuses est de limiter la liberté humaine : lorsque le christianisme impose la Révélation et les dogmes, il fait obstacle à la liberté de pensée et d'action de l'individu. Le jansénisme — défini essentiellement par la doctrine de la prédestination selon laquelle Dieu n'accorde sa grâce, dite « efficace » et s'opposant à la « grâce suffisante » à laquelle croient les jésuites, qu'à un petit nombre d'élus déterminés à l'avance — porte plus encore atteinte à la liberté humaine, puisqu'il nie le libre arbitre.

Voltaire n'est pas athée. Il croit en un Dieu auteur de la nature, un grand « horloger » dont l'idée est nécessaire à la conservation de la morale et de la société, mais qui ne saurait se substituer à la raison et à la conscience humaines. Il s'agit donc pour lui de remplacer les religions révélées et dogmatiques, sources des superstitions et des fanatismes, par une « religion naturelle », appelée « théisme » (les déistes ne croient qu'à l'existence d'un Dieu ; les théistes y ajoutent l'obligation de lui rendre un culte, d'obéir à la « loi naturelle »). Là encore, l'Ingénu, dans son humilité devant le Créateur, sert de porte-parole à Voltaire (p. 53) :

> [...] si je pensais quelque chose, c'est que nous sommes sous la puissance de l'Être éternel comme les astres et les éléments [...].

3.

La société est-elle mauvaise ?

1. *Misanthrope contre mondain*

La réflexion sur les questions religieuses, qu'elle soit politique ou philosophique, vient se greffer dans *L'Ingénu* sur le débat que Voltaire entretient avec Jean-Jacques Rousseau (1712-1778) sur les rapports entre nature et civilisation. Les deux interrogations sont étroitement liées par le fait que la figure de l'homme naturel idéal imaginé par Voltaire peut constituer une réponse aux déviances d'une société dominée par « l'Infâme ». De 1760 à 1767, Rousseau et Voltaire débattent par textes interposés : *La Nouvelle Héloïse*, *L'Émile* et *Le Contrat social* pour l'un ; les *Lettres sur « La Nouvelle Héloïse »*, les *Entretiens d'un sauvage et d'un bachelier*, les *Lettres au docteur Pansofle*, ainsi que certains articles du *Dictionnaire philosophique* pour l'autre.

Mais c'est en 1755, dans le *Discours sur l'origine et les fondements de l'inégalité parmi les hommes*, que Rousseau décrit — en s'inspirant du mythe de l'âge d'or et du paradis perdu — l'homme naturel, c'est-à-dire l'homme à l'état de nature, pour l'opposer à l'homme civil. L'homme naturel est celui qui, en parfait accord avec son milieu, se suffit à lui-même, ne désire rien au-delà de ses besoins immédiats et vitaux et ne vit que dans l'instant présent :

> Son imagination ne lui peint rien ; son cœur ne lui demande rien. Ses modiques besoins se trouvent si aisément sous sa main, et il est si loin du degré de connaissances nécessaires pour désirer d'en acqué-

> rir de plus grandes, qu'il ne peut avoir ni prévoyance, ni curiosité. [...] Son âme, que rien n'agite, se livre au seul sentiment de son existence actuelle, sans aucune idée de l'avenir [...].

L'homme naturel ne saurait donc être malheureux. Il est cependant perfectible et, de presque animal qu'il était, il atteint bientôt le deuxième stade de son évolution : sédentarisation, découverte du feu, constitution des premières familles, perfectionnement du langage, etc. Cette période de « société commencée » correspond à l'état dans lequel on peut observer certains sauvages découverts par les voyages et la colonisation, et Rousseau la tient pour « l'époque la plus heureuse et la plus durable ». Ce n'est que la troisième phase qui amorce la déchéance du naturel humain : l'invention de l'agriculture et de l'industrie instaure l'idée de propriété, d'où découle un état de guerre nécessitant l'institution de la société par un pacte réalisé au profit des riches et donnant naissance à un ordre social d'injustice et d'inégalité.

Voltaire, pourfendeur du mythe de l'âge d'or et défenseur du luxe dans son poème *Le Mondain* en 1736, ne pouvait que s'opposer à cette condamnation de la civilisation. Il raille Rousseau, « l'ennemi de la société », dès 1755, puis du *Dictionnaire philosophique* aux *Questions sur l'« Encyclopédie »*.

2. *Faux bon sauvage et bon faux sauvage*

En revanche, la réponse qu'adresse Voltaire aux théories rousseauistes dans *L'Ingénu* est beaucoup plus subtile et complexe que cette franche ironie. En effet, l'évolution du personnage voltairien dans le conte retrace en quelque sorte les différents âges du développement de l'espèce humaine, mais pour en souligner le dénouement différent. Si Gordon admire le « bon sens naturel de cet enfant presque sauvage » (p. 59) dont il est l'élève autant que le maître (p. 87) :

> L'âpreté de ses anciennes opinions sortait de son cœur ; il était changé en homme ainsi que le Huron.

le qualificatif est à la fin de l'histoire utilisé au passé et de façon critique (p. 84) :

> Je ne le [l'amour de mademoiselle de Saint-Yves] méritais pas, je n'étais alors qu'un sauvage.

Cette « métamorphose » est annoncée par l'évolution de la dénomination du jeune homme : d'abord « Huron », il devient « l'Ingénu », puis « Hercule de Kerkabon », creuset à la fois de la culture humaniste classique et de la noblesse française de province. Lui-même est conscient de sa transformation qu'il relève au cœur de sa formation livresque : « J'ai été changé de brute en homme » (p. 56), et la compare à l'évolution générale du genre humain dans laquelle on peut reconnaître la description de l'homme naturel de Rousseau (p. 56) :

> Je m'imagine que les nations ont été longtemps comme moi, qu'elles ne se sont instruites que fort tard, qu'elles n'ont été occupées pendant des siècles que du moment présent qui coulait, très peu du passé, et jamais de l'avenir. [...] Ne serait-ce pas là l'état naturel de l'homme ? L'espèce de ce continent-ci me paraît supérieure à celle de l'autre. Elle a augmenté son être depuis plusieurs siècles par les arts et par les connaissances.

Voltaire mêle donc à l'éloge rousseauiste du bonheur primitif la nécessité du raffinement civilisé. Il fait du naturel la condition *sine qua non* du bon développement de l'esprit et de l'âme par la culture : « La cause du développement rapide de son esprit était dû à son éducation sauvage presque autant qu'à la trempe de son âme » (p. 69), et de ce perfectionnement un devoir. Ni l'état de nature ni la civilisation ne se trouvent condamnés, mais ils sont au contraire associés comme deux éléments indispensables à l'humanité. L'Ingénu est l'incarnation de cette alliance : Huron né de parents européens, adopté par les Anglais, puis par les Bas-Bretons, porte la coiffure indienne mais montre une barbe naissante, préfère la langue huronne mais s'exprime parfaitement en français, aime Mlle de Saint-Yves d'un amour naturel mais se plie aux usages du pays, n'a pas de bien plus précieux que sa liberté mais devient paradoxalement un homme en accédant à la culture grâce à sa captivité. Faux bon sauvage, il est aussi bon faux sauvage, homme mêlé, réconciliant avec un optimisme et un relativisme opposés au fanatisme la nature et la culture.

Sur Dieu et la religion au siècle des Lumières

René POMEAU, *La Religion de Voltaire*, Paris, Nizet, 1956.

Raymond TROUSSON, *Histoire de la libre pensée. Des origines à 1789*, Bruxelles, Éditions Espace de Libertés, 1993.

14e Colloque international du Centre de recherche sur les littératures de voyage : Récit de voyage et religion : www.crlv.org/

Sur le mythe du « bon sauvage »

Daniel DEFOE, *Robinson Crusoé*, 1719.

Jean EHRARD, *L'idée de nature dans la première moitié du XVIIIe siècle*, Paris, Albin Michel, 1963.

Michel de MONTAIGNE, *Essais*, « Des coches », « Des cannibales », 1580-1595.

Bernardin de SAINT-PIERRE, *Paul et Virginie*, 1788.

Genre et registre

L'ambiguïté romanesque du conte philosophique

LE SIMPLE EXAMEN des titres des chapitres de *L'Ingénu* fait apparaître la pluralité des registres du texte et la complexité de son inscription générique. Après un premier titre qui introduit le personnage du Huron, c'est lui — sous la désignation initiale puis sous le nom de l'Ingénu — qui constitue le sujet des intitulés jusqu'au chapitre 8, où sa maîtresse, la belle Saint-Yves, prend le relais et devient la nouvelle protagoniste de l'histoire. Le texte se compose donc de deux mouvements qu'on peut analyser en termes de changement de registre et de genre : au conte satirique, placé sous le signe du masculin, succède un roman « sensible », dont la femme est l'héroïne. Un affinement de l'analyse de cette structure permet cependant de nuancer la dualité en la complétant. Au chapitre 8, l'Ingénu quitte la Basse-Bretagne pour gagner la cour ; au chapitre 10, significativement le chapitre central du conte, qui en comprend vingt, il est enfermé à la Bastille en compagnie d'un janséniste qui l'ouvre à la culture et aux savoirs. Le changement de lieu peut donc apparaître comme un voyage de transition qui permet d'amener cette charnière du conte. Pause argumentative au sein de la narration, elle concentre à la fois l'expression du combat voltairien contre les sectarismes et les préjugés, janséniste, jésuite, politique et même littéraire, et la réponse de Voltaire à la condamnation que Rousseau fait de la civilisation.

1.

Un conte satirique et critique

La satire, au service de la critique sociale, ne se limite cependant pas à la première partie du texte de *L'Ingénu*, mais elle change de cible, de forme et de degré d'intensité.

En définissant son personnage de Huron comme l'Ingénu, « celui qui dit[t] toujours naïvement ce [qu'il] pense, comme il fai[t] tout ce [qu'il] veu[t] », Voltaire adopte d'abord le dispositif satirique utilisé par Montesquieu (1689-1755) dans les *Lettres persanes* ou par lui-même dans ses *Lettres philosophiques* : le regard naïf qu'un étranger porte sur la réalité politique et sociale d'un pays pour en révéler le ridicule ou au contraire l'étonnante sagesse. Dans le conte de Voltaire, l'œil neuf du Huron est l'instrument d'une critique tour à tour sociale, religieuse et politique.

1. *Le Huron, le Bas-Breton et le courtisan*

La satire sociale de *L'Ingénu* s'offre deux cibles. La première est la vie provinciale des Bas-Bretons, dont Voltaire fait les représentants de préjugés nourris d'ethnocentrisme et de vanité. Ainsi la « bonne compagnie » qui accueille le Huron est-elle caractérisée à la fois par sa suffisance et son ignorance, son incapacité à relativiser et à considérer qu'il existe d'autres mœurs ou modes de vie que ceux qu'elle pratique. Elle est par exemple persuadée que « sans l'aventure de la tour de Babel, toute la terre aurait parlé français », si bien que pour Mlle de Kerkabon, le bas-breton ne peut être que la plus belle des langues juste avant le français et elle est tout étonnée lorsque le Huron lui avoue sa préférence de la langue huronne (p. 13). L'abbé de Saint-Yves, lui, « supposait qu'un homme qui n'était pas né en France n'avait pas le sens commun » (p. 20). Un personnage en particulier est chargé par la satire voltairienne, le bailli, qui assaille l'Ingénu de questions « d'un ton imposant » pour juger la conduite de l'étranger avant même de connaître son histoire. À son accusatrice interrogation : « comment avez-vous pu abandonner ainsi père et mère ? », l'Ingénu oppose un argument d'une simplicité imparable : « C'est que je n'ai jamais connu ni père ni mère » (p. 12). Face à une société bavarde, vaniteuse et bornée dans ses vues, l'Ingénu fait donc entendre la voix de la différence et du bon sens.

Enfin, au sein de cette critique sociale des habitants de la Basse-Bretagne, les demoiselles sont particulièrement touchées par la satire. Mlle de Kerkabon et Mlle de Saint-Yves, dans la première partie du conte, font preuve d'une grande naïveté s'opposant à celle du Huron : elle est ignorance et non franc naturel. Mlle de Kerkabon est sans cesse étonnée ; et on peut voir dans l'ignorance que Mlle de Saint-Yves a des sentiments qu'elle sent naître en elle autant d'innocence que de mauvaise foi inculquée par la société dans laquelle elle vit : ne risque-t-elle pas elle aussi un œil par le trou de la serrure de la chambre de l'Ingénu ? Au-delà de la province bas-bretonne, c'est donc aussi l'éducation traditionnelle que vise Voltaire. Certains passages expriment plus explicitement cette condamnation : le fils du bailli est « un grand nigaud [...] qui sortait du collège ». L'éducation, en particulier pour les filles, est à chercher ailleurs, Mlle de Saint-Yves en est la preuve :

> Ce n'était plus cette fille simple dont une éducation provinciale avait rétréci les idées. [...] Son aventure était plus instructive que quatre ans de couvent.

La seconde cible de la satire sociale est Paris et la cour. Voltaire dénonce la corruption des nobles, peints comme des libertins immoraux. M. de Saint-Pouange, présenté comme le principal collaborateur du ministre Louvois, échange la vertu de Mlle de Saint-Yves contre la libération de son amant. Mais ce sont surtout les rouages secrets et hypocrites de la cour que le conte voltairien démonte. Pour parvenir à savoir ce que l'Ingénu est devenu, Mlle de Saint-Yves doit se perdre dans le labyrinthe des jeux d'influence, assumer le parcours du combattant qui consiste à remonter les échelons d'une hiérarchie où les compétences (par exemple l'Ingénu repoussant les Anglais) comptent moins que la séduction. Le narrateur se glisse dans la fiction pour souligner le rôle des femmes dans cette organisation tentaculaire (p. 68) :

> [...] la vue d'une belle femme adoucit [le commis], car il faut convenir que Dieu n'a créé les femmes que pour apprivoiser les hommes.

Cette vérité est illustrée dans le paragraphe suivant : le ministre Louvois n'est rien sans ses « deux âmes », M. de Saint-Pouange et Mlle de Belloy, nom déguisé de Mme du Fresnoy, maîtresse du vrai Louvois.

2. *« Il n'y a donc point de lois dans ce pays ? »*

La critique sociale de la société de province comme des courtisans débouche sur une critique politique. Le bailli moqué des premiers chapitres est un représentant du pouvoir local ; le noble qui profite de Mlle de Saint-Yves est le bras droit d'un ministre. À travers eux, c'est l'abus de pouvoir caractéristique de la monarchie absolue instaurée par Louis XIV que Voltaire dénonce. L'emblème de ce pouvoir arbitraire, pour Voltaire comme pour nombre d'autres écrivains des Lumières, est la lettre de cachet, ordre signé du roi, qui permet d'emprisonner n'importe qui à la Bastille sur simple dénonciation ou volonté royale, sans enquête ni procès. Une fois encore, le personnage du Huron sert de mise en valeur du scandale de la tyrannie en exprimant son étonnement lorsqu'il découvre les motifs de son arrestation que son ingénuité, au sens de naturel comme de naïveté, lui rend parfaitement incompréhensible. Enfin, la satire suggère que ce pouvoir est aussi absurde qu'absolu, dans la mesure où sa source demeure inaccessible. Voltaire se sert ainsi du naturel de l'Ingénu pour railler l'artificialité de l'étiquette, ces « usages de la cour » dont le Huron n'est pas « au fait », qui font que le roi, le ministre, mais encore le premier commis de celui-ci, et le premier commis de ce premier commis, sont inabordables : « Qu'est-ce donc que tout ceci ? dit l'Ingénu ; est-ce que tout le monde est invisible dans ce pays-ci ? » (p. 46). C'est encore l'absurdité de la machine d'État mise en place par Louis XIV, fondée sur un système d'achat de charges et de fonctions, qui est révélée par la réaction du Huron à l'annonce de la récompense qu'on lui accorde pour avoir sauvé les côtes de la Basse-Bretagne de l'invasion anglaise (p. 47) :

> Moi ! que je donne de l'argent pour avoir repoussé les Anglais ! que je paye le droit de me faire tuer pour vous, pendant que vous donnez ici vos audiences tranquillement ? Je crois que vous voulez rire.

La singularité du sauvage voltairien réside dans le fait qu'il n'est pas seulement huron : il est également breton et anglais par adoption. Si Voltaire a choisi cette triple nationalité, et en particulier sa dernière composante, c'est pour servir sa satire. Le contrepoint apporté à la peinture des mœurs sociopolitiques françaises n'est pas seulement celui du naturel sauvage, mais également celui de la raison britannique. Ainsi, de nombreuses analogies entre l'Angleterre et la Huronie assimilent les vertus des deux nations, contre la France défectueuse : la « trompette du jour » est le nom que donnent Shakespeare et les Hurons au chant du coq (chap. 2, p. 16) ; les Anglais, eux, rendent sa liberté à leur prisonnier anglais parce qu'ils « aiment la bravoure » et sont « aussi honnêtes que [les Hurons] » ; les Anglais, eux, « laissai[en]t vivre les gens à leur fantaisie » ; les Anglais, eux, « ne condamnent pas les hommes sans les entendre ». La satire de la France passe donc par un éloge de l'Angleterre.

3. *Contre l'Infâme*

L'éloge des Anglais par l'Ingénu comporte une dimension religieuse : les Britanniques laissent les gens vivre selon leur goût, notamment à propos du baptême, qui semble d'ailleurs moins important pour l'abbé de Saint-Yves en lui-même qu'en vertu de la gloire qu'il pourra en retirer (« il en sera parlé à travers toute la Basse-Bretagne, et cela nous fera un honneur infini »). Les Anglais ne reconnaissent pas le pape, qui est pour Voltaire une figure de l'abus de pouvoir : ne faut-il pas que l'Ingénu lui demande une dispense pour épouser celle qu'il aime ?

À travers les Anglais, c'est aussi des protestants que Voltaire prend la défense. *L'Ingénu* contient ainsi une virulente satire religieuse dont la première cible est la répression des huguenots. La critique se concentre surtout dans le chapitre 8, qui narre la rencontre de l'Ingénu avec des huguenots sur le chemin de Versailles. Voltaire y accuse le pouvoir d'avoir dépeuplé la France de ses meilleurs éléments, à l'exemple de la ville de Saumur, dont le sort justifie même un article dans l'*Encyclopédie*. Ce chapitre est l'occasion pour Voltaire d'exposer la version romanesque de la thèse développée dans *Le Siècle de Louis XIV*, qu'il est précisément en train de remanier en 1767 : les grandes réussites de Louis XIV en matière de progrès de la civilisation ont été gâchées par le fanatisme dont il a fait preuve à la fin de sa vie, sous la double influence de Mme de Maintenon et de son confesseur jésuite, le père de La Chaise. Une fois encore, c'est la naïveté du personnage qui permet d'énoncer l'attaque :

> D'où vient donc, disait-il, qu'un si grand roi, dont la gloire s'étend jusque chez les Hurons, se prive ainsi de tant de cœurs qui l'auraient aimé, et tant de bras qui l'auraient servi ? — C'est qu'on l'a trompé comme les autres grands rois, répondit l'homme noir.

Ceux qui trompent ce roi, ce sont les jésuites, dont la satire est faite à travers le personnage du père Tout-à-tous dont le nom risible, pouvant revêtir plusieurs origines, est surtout une indication sur ses véritables motivations, plus matérielles que spirituelles. Les jésuites, ou encore ceux qu'ils confessent, deviennent sous la plume de Voltaire de véritables Tartuffe contredisant leurs principes religieux par leurs actes. La soi-disant « dévote » à laquelle la Saint-Yves est confiée, par exemple, n'hésite pas à la pousser dans les bras de son persécuteur, comme le père Tout-à-tous dont le revirement marque le sommet de la satire lorsqu'il apprend que l'« abominable pécheur » qui réclame le sacrifice de la vertu de la jeune fille n'est autre que « Mgr de Saint-Pouange », « cousin du plus grand ministre que nous ayons jamais eu », et devient par ce biais et comme par miracle « protecteur de la bonne cause, bon chrétien », en faisant du même coup de Mlle de Saint-Yves une menteuse (chap. 16, p. 76).

Enfin, c'est le discours même des jésuites que Voltaire raille, la casuistique, cette partie de la théologie attachée aux cas de conscience et devenue un art subtil de la complaisance morale. La charge contre les jésuites ne saurait être complète sans une illustration romanesque de leur opposition aux jansénistes, autres victimes de leur pouvoir. Dans le chapitre 10, Gordon explique pourquoi il est enfermé à la Bastille (p. 51) :

> […] je passe pour janséniste : j'ai connu Arnauld et Nicole ; les jésuites nous ont persécutés. Nous croyons que le pape n'est qu'un évêque comme un autre ; et c'est pour cela que le père de La Chaise a obtenu du roi, son pénitent, un ordre de me ravir, sans aucune formalité de justice, le bien le plus précieux des hommes, la liberté.

Mais, si la situation décrite par Gordon correspond bien à la réalité de la fin du XVIIe siècle et du début du XVIIIe, il n'en va pas de même pour l'époque de l'écriture du conte. Les positions sont inversées : les jésuites ont été expulsés et ce sont les jansénistes qui évoluent dans les sphères du pouvoir. La surimpression des deux époques dans la fiction en est d'autant plus signifiante : ce ne sont ni les jésuites ni les jansénistes, tour à tour bourreaux et victimes, qu'il faut condamner, mais toute forme de fanatisme religieux.

2.

Du roman sensible au roman d'éducation

Jean-Jacques Rousseau, le grand ennemi philosophique de Voltaire, publie successivement en 1761 et 1762 son roman épistolaire *Julie ou La Nouvelle Héloïse* et son traité *Émile ou De l'éducation.* Malgré l'opposition de Voltaire à Rousseau, et notamment sa colère contre le succès phénoménal de *Julie*, ces deux textes ont pu influencer l'écriture de *L'Ingénu*, puisque la caractéristique de roman de formation propre au conte est ici étroitement liée à la place plus originale donnée au sentiment.

1. *Le registre de la belle Saint-Yves*

Moins évident que le registre satirique, les influences du roman sensible présentes dans *L'Ingénu* ne semblent cependant pas incongrues lorsque l'on sait que ce sous-genre romanesque est né sous la plume de Samuel Richardson (1689-1761) au XVIIIe siècle en Angleterre, nation de prédilection de Voltaire. Traduits en France par l'abbé Prévost (1697-1763), l'auteur de *Manon Lescaut*, les romans de Richardson, à l'issue souvent malheureuse, mettent en scène des jeunes gens sensibles dont les sentiments se heurtent à la corruption de la société. Sans aller jusqu'à l'exploration psychologique, le conte de Voltaire emprunte à cette peinture sérieuse des mœurs et des relations humaines. Ainsi, le comique de la première partie disparaît peu à peu au profit d'une tonalité plus grave laissant place aux sentiments tels que l'amour, la vertu, les remords et aux événements tragiques de la vie. La caricature est remplacée par un certain réalisme, le satirique par le touchant, le roman libertin des premiers chapitres par celui de l'amour naissant. L'influence du roman sensible se fait également sentir dans le fait que les personnages de la seconde partie ne sont plus des types simplifiés et simplistes, mais des êtres complexes capables d'évolution. Gordon et l'Ingénu se transforment mutuellement, mais dans le chapitre 20, M. de Saint-Pouange lui-même se repent d'avoir agi comme il l'a fait en apprenant la mort de Mlle de Saint-Yves et est présenté comme une des victimes de la société (p. 101) :

> [...] la surprise et la douleur remplissent son âme. [...] Saint-Pouange n'était point né méchant; le

> torrent des affaires et des amusements avait emporté son âme, qui ne se connaissait pas encore [...] il écoutait Gordon les yeux baissés, et il en essuyait quelques pleurs qu'il était étonné de répandre : il connut le repentir.

L'agonie et la mort de l'héroïne donnent lieu à des « tableaux », composante essentielle de l'esthétique sensible, que ce soit dans le roman, chez Marivaux, Prévost, Richardson, au théâtre, dans les drames de Diderot ou de Beaumarchais, ou en peinture, dans les compositions de Greuze. Il semble que ces éléments ne soient pas traités par la parodie mais avec un certain sérieux dans lequel plusieurs critiques ont pu voir la volonté de Voltaire de rivaliser avec Rousseau mais surtout plus profondément la réconciliation de la nature et de la culture.

2. *Roman d'éducation, roman d'une éducation*

Au centre du roman sensible est bien sûr l'amour. Cependant, l'originalité de Voltaire dans *L'Ingénu* est de faire de l'amour, contre la vanité de l'éducation traditionnelle, l'instrument de la formation des êtres. Ainsi, le développement individuel de Mlle de Saint-Yves ne tient qu'à sa découverte de l'amour et des aventures qu'il lui fait éprouver : « L'amour et le malheur l'avaient formée. Le sentiment avait fait autant de progrès en elle que la raison en avait fait dans l'esprit de son amant infortuné ». Voltaire se sert même de cette justification de l'amour pour critiquer mais surtout transformer son personnage de janséniste, auquel l'Ingénu confie sa passion :

> Il ne *connaissait* l'amour auparavant que comme un péché dont on s'accuse en confession. Il *apprit* à le *connaître* comme un sentiment aussi noble que tendre, qui peut *élever* l'âme autant que l'amollir, et *produire* même quelquefois des vertus.

Le champ lexical de l'apprentissage et de la connaissance (que nous indiquons en italique) ne trompe pas : l'amour est à la fois objet et moyen de l'éducation morale.

La conversion du janséniste par le Huron intervient dans le dernier chapitre de la réclusion, le chapitre 14. Avant cela, c'est l'Ingénu qui a été instruit par le janséniste. Le conte n'est pas seulement, par les épreuves successives qui nourrissent sa structure sérielle, le parcours progressif des héros qu'il met en scène, un roman d'éducation ; c'est aussi le roman d'une éducation. Les chapitres 10 à 12 constituent en effet un véritable programme d'éducation classique : le Huron commence par la géométrie, puis lit la *Recherche de la vérité* de Malebranche, enchaîne avec des questions de métaphysique (« Que pensez-vous donc de l'âme, de la manière dont nous recevons nos idées, de notre volonté, de la grâce, du libre arbitre ? », p. 52-53), découvre la mythologie et l'histoire, et enfin la littérature, « des poésies, des traductions de tragédies grecques, quelques pièces du théâtre français » (p. 61). Mais si ces enseignements permettent à l'Ingénu de devenir un homme, si cette éducation est bonne, c'est parce que le sujet était vierge de toute croyance et qu'elle vient se greffer sur une formation parfaitement naturelle (p. 69) :

> La cause du développement rapide de son esprit était due à son éducation sauvage presque autant

> qu'à la trempe de son âme. Car n'ayant rien appris dans son enfance, il n'avait point appris de préjugés. Son entendement, n'ayant point été courbé par l'erreur, était demeuré dans toute sa rectitude. Il voyait les choses comme elles sont, au lieu que les idées qu'on nous donne dans l'enfance nous les font voir toute notre vie comme elles ne sont point.

En cela, Voltaire n'est pas en complet désaccord avec Rousseau, qui fonde l'éducation d'Émile sur l'épanouissement de la nature protégée de la civilisation.

3.

Et le conte philosophique ?

Le mélange des registres est un des éléments qui font de *L'Ingénu* un conte complexe et problématique, qui n'obéit pas aux critères défini par Vladimir Propp dans *Morphologie du conte* (présence d'un héros, d'une quête, d'adjuvants et d'opposants). Voltaire non seulement bouleverse la typologie traditionnelle du conte, mais encore remet en cause son traitement philosophique.

Tout d'abord, le sous-titre annonçant *L'Ingénu* comme une « Histoire véritable tirée des manuscrits du P. Quesnel » entre en contradiction avec l'*incipit* du conte, la légende de saint Dustan, elle-même démentie par son éclipse totale au profit de la peinture pittoresque de la réalité sociale basse-bretonne. À cette rapide évacuation du merveilleux s'ajoutent l'évolution psychologique des personnages et le dénouement malheureux qui contrastent avec le manichéisme et la conception cyclique de la vie humaine propres au conte.

Enfin et surtout, le statut de « philosophe » du héros, qui détermine normalement la dimension philosophique du conte, est remis en question. Certes, il incarne le bon sens et devient un homme cultivé, mais il est aussi baptisé alors qu'il s'y oppose, il reconnaît le pouvoir du pape et c'est finalement le dogme, représenté par le bailli, le père de La Chaise et le père Tout-à-tous qui l'emporte.

Sur le conte voltairien, *L'Ingénu* et ses registres

Pierre CAMBOU, *Le Traitement voltairien du conte*, Paris, Champion, 2000.

Nicole MASSON, *L'Ingénu de Voltaire et la critique de la société à la veille de la Révolution*, Paris, Bordas, 1989.

Christiane MERVAUD, « Sur l'activité ludique de Voltaire conteur : le problème de *L'Ingénu* », dans *L'Information littéraire*, n° 1, 1983.

Jean STAROBINSKI, « L'Ingénu sur la plage », dans *Le Remède dans le mal*, Paris, Gallimard, 1989.

L'écrivain à sa table de travail

De la minutie en toute chose

1.

Un travail de documentation

1. *Les sources ethnographiques*

Dans *L'Ingénu*, Voltaire reprend le mythe du bon sauvage américain, déjà présent dans de nombreux ouvrages, fictionnels ou documentaires, du XVIIe siècle et de la première moitié du XVIIIe, du fait des nombreuses expéditions qui se succèdent dans le Nouveau Monde depuis le XVIe siècle. Pour camper son personnage de Huron avec toute la vraisemblance et la vérité possibles, Voltaire a donc d'abord à sa disposition des sources ethnographiques, qui, sans être objectives, puisqu'il s'agit pour la plupart d'ouvrages de missionnaires souhaitant édifier les chrétiens du Vieux Continent, fournissent de précieux renseignements sur les populations des colonies. On sait ainsi que Voltaire avait dans sa bibliothèque le *Grand voyage au pays des Hurons*, de Gabriel Sagard Théodat, frère récollet, publié en 1632, qui s'accompagne du *Dictionnaire de la langue huronne* duquel sont issus les trois mots utilisés par Voltaire au chapitre 1 de

L'Ingénu. Mais on peut penser qu'il avait aussi eu connaissance du *Discours du voyage fait par le capitaine J. Cartier aux Terres Neuves du Canada* (1598), des *Mœurs des sauvages comparées aux mœurs des premiers temps* (1742), du père Lafitau, de l'*Histoire de la Nouvelle France* (1744), du père Charlevoix, tous deux très élogieux à l'égard des Indiens. Cet éloge n'est cependant pas le seul fait des missionnaires. Le baron de Lahontan fait ainsi apparaître, dans ses *Dialogues de M. le baron de Lahontan et d'un sauvage dans l'Amérique* (1703), le sauvage américain comme un être libre, d'esprit et de corps, égal en cela, ou même supérieur, au chrétien civilisé. La fiction — celle des *Aventures de M. Robert Chevalier dit de Beauchêne, capitaine des flibustiers dans la Nouvelle France* (1732) de Lesage, celle des *Lettres iroquoises* (1752) de Maubert de Gouvest — relaie donc le document ethnographique dans la peinture positive des indigènes du Canada, qui a pu informer et influencer la construction du Huron de Voltaire.

2. *Les lectures bretonnes*

La documentation de Voltaire ne concerne pas uniquement la lointaine Huronie, mais également la proche Bretagne. Toutefois, l'écrivain fait alors appel autant à ses lectures qu'à ses souvenirs : même s'il n'est jamais allé en Bretagne, il a rencontré beaucoup de Bretons, dont le dernier en date est le procureur général au parlement de Rennes, La Chalotais, en lutte contre Louis XV et contre les jésuites dans l'« affaire de Bretagne », à qui Voltaire écrit des lettres enthousiastes. À moins que sa restitution pittoresque de l'atmosphère bretonne ne doive beaucoup à la correspondance qu'il entretient avec un certain Jacques Le Brigant, avocat à Tréguier, Bas-Breton et « celtomane » de son propre aveu, qui affirme, un peu comme Mlle de Kerkabon, que la langue celtique fut la langue primitive de l'humanité.

2.

Une influence possible

Des œuvres contemporaines ont par ailleurs pu influencer, plus précisément que les modèles de *Pamela* (Richardson) ou de *La Nouvelle Héloïse* (Rousseau), l'écriture de *L'Ingénu*. Celle-ci a dû être assez rapide, entre le printemps et l'été 1767, même si l'idée remonte vraisemblablement à l'automne 1766. Elle a pu être attisée par la représentation de la tragédie des *Illinois*, de Sauvigny, qui avait supplanté *Les Scythes* de Voltaire à la fin de mai 1767. Cette pièce met en scène des Hurons, prétendus sauvages et vrais hommes de cœur, d'après des témoignages d'officiers du Canada. Plus nettement encore, on sait qu'à la fin de juin 1767 Voltaire demande à son ami Damilaville de lui envoyer un roman récent, qu'il attribue d'abord à Diderot et qui est en fait de Sébastien Mercier, intitulé *L'Homme sauvage*. Certaines ressemblances frappantes avec *L'Ingénu* conduisent à formuler l'hypothèse que Voltaire avait pu s'en inspirer à la dernière minute, alors que son conte avait été mis en chantier à l'automne 1767, ce qui pourrait expliquer l'inflexion de la satire au registre sensible.

En effet, *L'Homme naturel* raconte l'histoire d'un

Chébutois, Zidzem, et de Zaka, sa bien-aimée, élevée elle aussi au sein de la nature. Cet amour est mis à mal par la civilisation lorsque Zaka est enlevée par Lodevon, un Anglais. Parti à sa recherche, Zidzem arrive chez les Gengis, équivalents des Hurons voltairiens, et sauve du sacrifice une jeune Européenne, Émilie, dont il tombe amoureux. Mais Émilie, contrairement à Zaka qui s'était aussitôt donnée à son amant, impose à Zidzem les lois de la civilisation et se refuse à lui, tout comme Mlle de Saint-Yves repousse l'Ingénu, au grand étonnement et à la grande indignation de celui-ci. Émilie exige notamment que Zidzem se convertisse pour pouvoir l'épouser. Pendant ce temps, Zaka a été elle aussi convertie, puis enfermée dans un couvent. Zidzem tente de l'y arracher et perd à la fois Émilie et Zaka, qui refuse de le suivre. Désespéré, il s'embarque pour l'Angleterre et devient pendant la traversée l'ami d'un vertueux vieillard, Mr. Dorlington, qui ressemble au Gordon de *L'Ingénu*. Quoi qu'il en soit, ce sont surtout les préoccupations de Voltaire à ce moment-là et les expériences vécues à Ferney, dans cette campagne qui a pu lui offrir des exemples sinon des modèles d'homme naturel, qui fournissent au conte sa matière.

3.

Le canevas de Saint-Pétersbourg

À la fin des années 1950, une découverte est venue apporter un éclairage supplémentaire sur la genèse de *L'Ingénu*. I. O. Wade et R. Pomeau ont retrouvé à Saint-Pétersbourg un canevas autographe du conte voltairien, probablement daté de 1766 :

> Histoire de l'Ingénu, élevé chez les sauvages, puis chez les Anglais, instruit dans la religion en Basse-Bretagne, tonsuré, confessé, se battant avec son confesseur, son voyage à Versailles chez frère Letellier son parent, volontaire deux campagnes sa force incroyable. Son courage, veut être cap[itaine] de cav[alerie], étonné du refus. Se marie, ne veut pas que le m[ariage] soit un sacrement, trouve très bon que sa femme soit infidèle parce qu'il l'a été. Meurt en défendant son pays, un capitaine anglais l'assiste à sa mort avec un jésuite et un janséniste, il les instruit en mourant.

Il s'agit donc d'un résumé posant les bases du scénario d'un futur conte qui aurait été plus « philosophique » que la version finale puisque le héros aurait achevé son éducation chez les Anglais, aurait fait un mariage de libre esprit, prônant la liberté sexuelle et l'égalité des sexes, aurait enfin « instruit » un jésuite et un janséniste, deux représentants de l'ennemi infamant de Voltaire, avant de mourir couvert de gloire. Entre les deux états de l'histoire s'observe une différence de ton, le canevas n'étant pas marqué par la sensibilité du conte définitif, le personnage féminin n'ayant pas de véritable rôle. Dans l'esquisse, l'histoire ne semble plus située en 1689 mais après 1709, date à laquelle le père Letellier devient confesseur du roi. Plus pacifié, le canevas n'explicite pas les combats idéologiques et n'en retient que le résultat. En cela, et parce que l'absence d'une Mlle de Saint-Yves faisant le sacrifice de sa vertu épargne au conte un dénouement tragique, l'ébauche peut sans doute être considérée comme plus optimiste que *L'Ingénu* de 1767. Rien d'étonnant à cela : entre-temps, un jeune chevalier, qui aurait pu devenir un utile guerrier et partisan des philosophes, a été exécuté pour avoir commis quelques espiègleries.

4.

Voltaire correcteur

Le conte de Voltaire connut tout de suite un énorme succès. Il y eut, en 1767, au moins trois éditions dérivant de l'édition originale signalée par Grimm : « On parle d'un roman théologique appelé *L'Ingénu* [...] ouvragé à Ferney. » Mais il existe aussi une autre série d'éditions, publiée la même année par le libraire Lacombe, avec lequel Voltaire entretient une correspondance depuis 1766, et qui pose problème. Le 2 septembre 1767, Voltaire écrit à Lacombe qu'il lui fait parvenir *L'Ingénu,* dont il n'endosse pas la paternité mais qu'il attribue à M. Laurent (en fait Du Laurens), auteur d'ouvrages à scandale, notamment du *Compère Matthieu,* réfugié en Hollande. Le 6 septembre, Voltaire expédie la première partie du texte, mais le 14, au lieu de faire de même avec la seconde partie, il se plaint, toujours au nom de M. Laurent, des fautes observées dans l'édition qu'il vient de recevoir :

> J'ai reçu votre lettre, Monsieur, avec les deux tomes de la petite brochure. L'auteur qui m'est venu voir s'est bien aperçu que vous aviez imprimé d'après des feuilles qui avaient été envoyées à Paris avant qu'elles fussent corrigées. Par exemple, je vois qu'à la page 38 du second tome, vous avez mis, *nous voici tous deux dans les fers sans pouvoir la demander,* ce qui

> ne forme aucun sens. Il y a dans l'édition corrigée que vous avez suivie, *nous voici tous deux dans les fers, sans savoir qui nous y a mis, sans pouvoir même le demander.*
> L'auteur a aussi remarqué d'autres fautes considérables. De plus des noms propres dont on ne voit que les lettres initiales font un très mauvais effet dans un roman. Il valait bien mieux mettre d'autres noms tout au long, comme Ménanges, etc. [...].

Deux jours plus tard, Voltaire envoie au libraire la liste de toutes les fautes contenues dans son édition :

> J'ai parlé à M. Laurent, Monsieur, il est, comme vous savez, l'auteur de *L'Ingénu.* Il m'a paru très fâché de toutes les fautes qui fourmillent dans son *Huron.*
> Premièrement, dans la seconde édition de Lausanne, p. 32, *que si en effet M. l'Ingénu son neveu n'avait pas eu le bonheur de naître en Basse-Bretagne il n'en avait pas moins d'esprit.* Il y a dans l'original, *que si en effet M. l'Ingénu n'avait eu le bonheur d'être élevé en Basse Bretagne.* En effet il est dit plus haut qu'on l'avait emmené à l'âge de deux ans. Une telle faute est capable de décrier un Huron à tout jamais.
> 2e On a toujours mis *la reine de Candace,* au lieu de *la reine Candace.*
> M. Laurent, ci-devant capucin, auteur du *Compère Matthieu,* est un grand théologien qui sait que Candace était le titre des reines d'Éthiopie comme Pharaon était le titre des rois d'Égypte.
> 3e P. 52, *comme il n'y a jamais eu de cérémonie qui ne fût suivie d'un grand dîner.* Cela n'est pas français, à ce que dit M. Laurent, il faut, *Comme il n'y eut jamais de cérémonie.*
> 4e P. 71, *aux empressements de cet amant terrible.* Il y a deux fois terrible dans cette page, cela choque beaucoup l'oreille délicate de l'auteur du *Compère Matthieu.* Il y a dans l'original, *de cet amant redoutable.*
> 5e P. 80, *le baignèrent de larmes de tendresse,* l'original porte *le baignèrent de larmes de joie et de tendresse.*

6e P. 3 de la seconde partie, *florissante depuis cinq cents siècles.* L'éditeur s'est trompé d'environ quarante cinq mille ans. Il doit y avoir, *depuis plus de cinquante siècles au moins.*
7e P. 17, il y a une ligne et demie répétée, et on a oublié à la fin de la page la réflexion très sensée que fait l'Ingénu sur l'Émilie de *Cinna.* La voici, *Je suis fâché pourtant, dit-il, que cette brave fille reçoive tous les jours des rouleaux de l'homme qu'elle veut faire assassiner; je lui dirais volontiers ce que j'ai lu dans les Plaideurs, Eh! rendez donc l'argent!*
8e P. 38, il y a un galimatias incompréhensible. *Nous voici tous deux dans les fers sans pouvoir la demander.* Il est impossible d'imaginer ce que cela veut dire. Le texte porte, *Nous voici tous deux dans les fers, sans savoir qui nous y a mis, sans pouvoir même le demander.*
9e P. 116, *La surprise et la douleur remplissent son âme.* Il y a dans l'original *saisissent son âme,* parce que le mot *remplir* se trouve à la ligne suivante.
M. Laurent, quoique demeurant à Utrecht, est fort délicat sur la langue française.
Voyez, Monsieur, si vous pouvez réparer toutes ces injustices faites à M. Laurent et à la famille de Kerkabon.
J'oubliais encore une faute essentielle qui se trouve au Ier tome, p. 35. *Le bailli présenta à Mlle de St. Yves un grand nigaud de fils.*
Remarquez que le bailli était déjà parti, et qu'ainsi il y a un contresens capable de faire mourir M. Laurent de douleur. Le texte porte, *Le bailli avant de prendre congé* etc.
Au reste, au lieu de mettre des lettres initiales au nom du St. Pouange, il n'y a qu'à mettre le Marquis de Ménange; cela déroute encore plus et est plus agréable au lecteur. Vous devriez bien, Monsieur, faire une jolie petite édition qui sera fort bien reçue en Basse-Bretagne.

Cette lettre témoigne du fait que le travail de Voltaire ne s'arrête pas à la remise du manuscrit. Il montre un soin méticuleux à relire les éditions de ses textes, à traquer les fautes de français, mais aussi les répétitions inélégantes et les incohérences. Chaque mot compte, ce qui prouve, s'il est besoin, que Voltaire est un stylisticien autant qu'un philosophe, un polémiste et un homme de combats.

Groupement de textes

Amour naturel, amour socialisé

DANS LE CHAPITRE 5 de *L'Ingénu*, le personnage éponyme déclare son amour à Mlle de Saint-Yves. Il est tout étonné lorsqu'elle lui répond, au lieu de lui révéler les sentiments qu'elle éprouve à son égard, qu'il doit sans tarder aller demander leur consentement à son oncle et à sa tante, tandis qu'elle fera de même avec son frère l'abbé de Saint-Yves. La surprise du Huron fait alors ressortir toute l'absurdité, à l'échelle des passions individuelles, des conventions sociales, ce que Voltaire désigne dans le conte sous le nom de « bienséances », qui organisent et canalisent les pulsions sexuelles grâce au mariage.

Quel droit peut donc bien avoir un tiers sur le désir d'une personne pour une autre, puisque ce désir ne le concerne pas directement ?, se demande le Huron. N'y aurait-il pas là une atteinte à la liberté de l'individu ? L'évolution des sociétés occidentales, dans lesquelles les mariages arrangés sont en voie de disparition, le mariage relativisé et l'union libre reconnue, semble prouver ce que le bon sens fait affirmer au Huron voltairien : « L'Ingénu lui répond qu'il n'avait besoin du consentement de personne ; qu'il lui paraissait extrêmement ridicule d'aller demander à d'autres ce qu'on devait faire; que, quand deux parties sont d'accord, on n'a pas besoin d'un tiers pour les accommoder. "Je ne consulte personne, dit-il, quand j'ai envie de déjeuner, ou de chasser, ou de dormir. Je sais bien qu'en amour il n'est pas mal d'avoir le consentement de la personne à qui on en veut; mais, comme ce n'est ni de mon oncle ni de ma tante que je suis amoureux, ce n'est pas à eux que je dois m'adresser dans cette affaire; et, si vous m'en croyez, vous vous passerez aussi de M. l'abbé de Saint-Yves" » (chap. 5, p. 30-31). Ainsi, l'empressement de l'Ingénu et le refus que lui oppose son amante dans le chapitre suivant conduisent à une inversion des valeurs : ce que l'Occidentale soi-disant civilisée appelle « honneur » est pour le Huron absence de « probité », malhonnêteté, trahison. Croyant que Mlle de Saint-Yves manque à sa promesse de l'épouser, il entend la remettre dans le chemin de la « vertu » qu'elle pense bien ne pas avoir quitté : c'est qu'il ne s'agit pas de la même vertu, loyauté individuelle pour l'un, loyauté sociale et morale pour l'autre.

Ces deux scènes de quiproquos comiques rapportent la fascination que les voyageurs dans le Nouveau Monde et les lecteurs de leurs témoignages ont pu ressentir face à la sexualité des sauvages qu'ils ont rencontrés, radicalement différente de celle qui se pratique alors dans la société policée du XVIIIe siècle. Caractérisé par le naturel, la communauté et la transparence, l'amour « sauvage » ne connaît la fidélité ni n'engendre la jalousie et fait apparaître la relation amoureuse et érotique française des Lumières comme une relation fondamentalement violente, artificielle et hypocrite. C'est cet artifice et cette cruauté que les deux premiers des textes qui suivent, respectivement de Rousseau et de Diderot, comparent aux mœurs libres et douces des hommes naturels. Les deux autres textes, écrits au XIXe siècle par Charles Baudelaire et à l'aube du XXIe siècle par Michel Houellebecq, présentent deux variations, l'une moderne, l'autre postmoderne, de ce mythe de l'amour naturel perdu par l'homme des villes occidentales condamné aux sentiments socialisés.

Jean-Jacques ROUSSEAU (1712-1778)

Discours sur l'origine et les fondements de l'inégalité parmi les hommes (1755)

(Folio essais n° 18)

Dans la première partie du Discours sur l'origine et les fondements de l'inégalité parmi les hommes, *Rousseau distingue différents stades de l'évolution humaine. Dans un premier temps, l'homme à l'état de pure nature a les moyens de subsister sans autrui et a donc peu de rapports avec ses semblables. Il a cependant des passions, parmi lesquelles l'amour, mais celui-ci, réduit au seul désir physique, ne connaît pas la préférence morale d'un amour qui élit un objet particulier plutôt qu'un autre. Les partenaires sexuels sont donc interchangeables et ce partage évacue toute possibilité de rivalité. Dans le domaine des sentiments comme dans celui de ces besoins élémentaires, l'homme naturel ne connaît pas la propriété et c'est pour cela qu'il est bon et heureux.*

Parmi les passions qui agitent le cœur de l'homme, il en est une ardente, impétueuse, qui rend un sexe nécessaire à l'autre, passion terrible qui brave tous les dangers, renverse tous les obstacles, et qui dans ses fureurs semble propre à détruire le genre humain

qu'elle est destinée à conserver. Que deviendront les hommes en proie à cette rage effrénée et brutale, sans pudeur, sans retenue, et se disputant chaque jour leurs amours au prix de leur sang ?
[...]
Commençons par distinguer le moral du physique dans le sentiment de l'amour. Le physique est ce désir général qui porte un sexe à s'unir à l'autre ; le moral est ce qui détermine ce désir et le fixe sur un seul objet exclusivement, ou qui du moins lui donne pour cet objet préféré un plus grand degré d'énergie. Or il est facile de voir que le moral de l'amour est un sentiment factice ; né de l'usage de la société, et célébré par les femmes avec beaucoup d'habileté et de soin pour établir leur empire, et rendre dominant le sexe qui devrait obéir. Ce sentiment étant fondé sur certaines notions du mérite ou de la beauté qu'un sauvage n'est point en état d'avoir, et sur des comparaisons qu'il n'est point en état de faire, doit être presque nul pour lui. Car comme son esprit n'a pu se former des idées abstraites de régularité et de proportion, son cœur n'est point non plus susceptible des sentiments d'admiration et d'amour qui, même sans qu'on s'en aperçoive, naissent de l'application de ces idées ; il écoute uniquement le tempérament qu'il a reçu de la nature, et non le goût qu'il n'a pu acquérir, et toute femme est bonne pour lui.

Bornés au seul physique de l'amour, et assez heureux pour ignorer ces préférences qui en irritent le sentiment et en augmentent les difficultés, les hommes doivent sentir moins fréquemment et moins vivement les ardeurs du tempérament et par conséquent avoir entre eux des disputes plus rares, et moins cruelles. L'imagination, qui fait tant de ravages parmi nous, ne parle point à des cœurs sauvages ; chacun attend paisiblement l'impulsion de la nature, s'y livre sans choix, avec plus de plaisir que de fureur, et le besoin satisfait, tout le désir est éteint.

C'est donc une chose incontestable que l'amour même, ainsi que toutes les autres passions, n'a acquis que dans la société cette ardeur impétueuse qui le rend si souvent funeste aux hommes, et il est d'autant plus ridicule de représenter les sauvages comme s'entr'égorgeant sans cesse pour assouvir leur brutalité, que cette opinion est directement contraire à l'expérience, et que les Caraïbes, celui de tous les peuples existants qui jusqu'ici s'est écarté le moins de l'état de nature, sont précisément les plus paisibles dans leurs amours, et les moins sujets à la jalousie, quoique vivant sous un climat brûlant qui semble toujours donner à ces passions une plus grande activité.

Denis DIDEROT (1713-1784)

Supplément au voyage de Bougainville

(1796)

(La bibliothèque Gallimard n° 104)

Le Supplément au voyage de Bougainville *de Diderot est une fiction présentée comme la suite narrative du récit de Bougainville, explorateur contemporain de Diderot, et composée de cinq chapitres qui mettent en abyme trois dialogues ou monologues : le dialogue encadrant de deux personnages A et B qui « jugent » le* Voyage autour du monde, *journal de Bougainville et commentent son* Supplément *fictif (chapitres 1, 2, 3 et 5) ; le discours du vieillard, dont est extrait le texte qui suit, figure de la sagesse s'adressant d'abord à ses compatriotes pour les plaindre puis à Bougainville pour l'accuser, lui, son équipage et l'ensemble des Européens, d'avoir dénaturé son peuple, notamment en ce qui concerne les mœurs sexuelles (chapitre 2) ; l'entretien entre l'Aumônier et Orou portant sur la religion, la sexualité et le mariage, après que, conformément au code de l'hospitalité tahitienne, Orou a offert une femme parmi son épouse et ses trois filles à l'aumô-*

nier, qui a refusé avant de se rendre (chapitre 3 et 4). À la fin du texte, A et B sont convaincus de la supériorité des mœurs tahitiennes sur les leurs, qui imposent aux hommes des lois artificielles, arbitraires et contradictoires. Toutes les notions qu'ils ont apprises, mariage, galanterie, fidélité, pudeur, vertu, etc., sont à redéfinir.

Il n'y a qu'un moment, la jeune Otaïtiennne s'abandonnait avec transport aux embrassements du jeune Otaïtien ; elle attendait avec impatience que sa mère, autorisée par l'âge nubile, relevât son voile, et mît sa gorge à nu. Elle était fière d'exciter les désirs, et d'irriter les regards amoureux de l'inconnu, de ses parents, de son frère ; elle acceptait sans frayeur et sans honte, en notre présence, au milieu d'un cercle d'innocents Otaïtiens, au son des flûtes, entre les danses, les caresses de celui que son jeune cœur et la voix secrète de ses sens lui désignaient. L'idée de crime et le péril de la maladie sont entrés avec toi parmi nous. Nos jouissances, autrefois si douces, sont accompagnées de remords et d'effroi. Cet homme noir, qui est près de toi, qui m'écoute, a parlé à nos garçons ; je ne sais ce qu'il a dit à nos filles ; mais nos garçons hésitent ; mais nos filles rougissent. Enfonce-toi, si tu veux, dans la forêt obscure avec la compagne perverse de tes plaisirs ; mais accorde aux bons et simples Otaïtiens de se reproduire sans honte, à la face du ciel et au grand jour. Quel sentiment plus honnête et plus grand pourrais-tu mettre à la place de celui que nous leur avons inspiré, et qui les anime ? Ils pensent que le moment d'enrichir la nation et la famille d'un nouveau citoyen est venu, et ils s'en glorifient. Ils mangent pour vivre et pour croître : ils croissent pour multiplier, et ils n'y trouvent ni vice, ni honte. Écoute la suite de tes forfaits. À peine t'es-tu montré parmi eux, qu'ils sont devenus voleurs. À peine es-tu descendu dans notre terre, qu'elle a fumé de sang. Cet Otaïtien qui courut à ta rencontre, qui t'accueillit, qui te reçut en criant : Taïo ! ami, ami ; vous l'avez tué. Et pourquoi l'avez-vous tué ? parce qu'il avait été séduit par l'éclat de tes petits œufs de serpents. Il te donnait ses fruits ; il t'offrait sa femme et sa fille ; il te cédait sa cabane : et tu l'as tué pour une poignée de ces grains, qu'il avait pris sans te les demander. Et ce peuple ? Au bruit de ton arme meurtrière, la terreur s'est emparée de lui ; et il s'est enfui dans la montagne. Mais crois qu'il n'aurait pas tardé d'en descendre ; crois qu'en un instant, sans moi, vous périssiez tous. Eh ! pourquoi les ai-je apaisés ? pourquoi les ai-je contenus ? pourquoi les contiens-je encore dans ce moment ? Je l'ignore ; car tu ne mérites aucun sentiment de pitié ; car tu as une âme féroce qui ne l'éprouva jamais. Tu t'es promené, toi et les tiens, dans notre île ; tu as été respecté ; tu as joui de tout ; tu n'as trouvé sur ton chemin ni barrière, ni refus : on t'invitait, tu t'asseyais ; on étalait devant toi l'abondance du pays. As-tu voulu de jeunes filles ? excepté celles qui n'ont pas encore le privilège de montrer leur visage et leur gorge, les mères t'ont présenté les autres toutes nues ; te voilà, possesseur de la tendre victime du devoir hospitalier ; on a jonché, pour elle et pour toi la terre de feuilles et de fleurs ; les musiciens ont accordé leurs instruments ; rien n'a troublé la douceur, ni gêné la liberté de tes caresses et des siennes. On a chanté l'hymne, l'hymne qui t'exhortait à être homme, qui exhortait notre enfant à être femme, et femme complaisante et voluptueuse. On a dansé autour de votre couche ; et c'est au sortir des bras de cette femme, après avoir éprouvé sur son sein la plus douce ivresse, que tu as tué son frère, son ami, son père, peut-être, tu as fait pis encore ; regarde de ce côté ; vois cette enceinte hérissée de flèches ; ces armes qui n'avaient menacé que nos ennemis, vois-les tournées contre nos propres enfants : vois les malheureuses compagnes de vos plaisirs ; vois leur tristesse ; vois la douleur de leurs pères ; vois le désespoir de leurs mères : c'est là qu'elles sont condamnées à périr par nos mains, ou par le mal que tu leur as donné.

Charles BAUDELAIRE (1821-1867)

« Parfum exotique »

Les Fleurs du mal (1840-1857)

(La bibliothèque Gallimard n° 38)

En juin 1841, Charles Baudelaire, forcé par son beau-père qui entend ainsi le sevrer de ses mauvaises fréquentations parisiennes, s'embarque sur le Paquebot-des-Mers-du-Sud *à destination des Indes. En fait, Baudelaire, après une escale à l'île Maurice, refuse d'aller plus loin que l'île Bourbon, actuellement île de la Réunion. Il reprend la route de l'Europe en novembre mais ce bref séjour lui laisse cependant des images et des impressions exotiques dont on trouve des traces dans* Les Fleurs du mal, *par exemple dans le sonnet « À une dame créole », souvenir d'une rencontre de l'île Maurice. Dans « Parfum exotique », la synesthésie, ou correspondance sensorielle, conduit le poète du parfum de l'amante au souvenir visuel, tactile et olfactif d'une île lointaine. C'est l'occasion de la description suggestive d'un état de nature confondu avec le rapport amoureux où l'exotisme rejoint le mythe d'une « vie antérieure », d'un « vert paradis des amours enfantines ».*

Quand, les deux yeux fermés, en un soir chaud d'automne,
Je respire l'odeur de ton sein chaleureux,
Je vois se dérouler des rivages heureux
Qu'éblouissent les feux d'un soleil monotone ;

Une île paresseuse où la nature donne
Des arbres singuliers et des fruits savoureux ;

Des hommes dont le corps est mince et vigoureux,
Et des femmes dont l'œil par sa franchise étonne.

Guidé par ton odeur vers de charmants climats,
Je vois un port rempli de voiles et de mâts
Encor tout fatigués par la vague marine,

Pendant que le parfum des verts tamariniers,
Qui circule dans l'air et m'enfle la narine,
Se mêle dans mon âme au chant des mariniers.

Michel HOUELLEBECQ (né en 1958)

Plateforme (2001)

(Flammarion)

Dans ses romans, Michel Houellebecq dresse le constat de l'échec d'une civilisation dont la quête de l'individualité depuis plusieurs siècles a conduit à la violence généralisée. Il se livre, entre autres choses, à la mise en intrigue et à la théorisation de l'âpre compétition sexuelle, conséquence de l'individualisme née de la prétendue libération sexuelle au nom de laquelle chaque individu s'aliène en fait à son propre plaisir et se coupe de toute relation authentique avec l'autre. Face à cette déchéance du genre humain, qui n'est pas sans rappeler la critique rousseauiste de la société, ou l'accusation de dénaturation sexuelle des indigènes par les Européens que Diderot prête au vieillard tahitien dans le Supplément au voyage de Bougainville, *restent l'amour, la compassion, et la solution qui constitue le dénouement d'anticipation des* Particules élémentaires *: le héros du roman, le scientifique Michel Dzerjinski, découvre le moyen de modifier l'espèce humaine, c'est-à-dire d'y mettre fin, pour la délivrer du désir sexuel, donc de la violence, de la rivalité, et de la mort en la rendant « asexuée et immortelle ». Dans* Plateforme, *dont est extrait le texte suivant, le personnage principal a l'idée d'utiliser, et de résoudre en même temps, la cruelle frustration sexuelle de l'Occident, à des fins com-*

merciales, en développant le tourisme sexuel. Il expose sa théorie à Valérie, sa compagne, cadre dans une grande entreprise d'organisation de voyages.

[...] d'un côté tu as plusieurs centaines de millions d'Occidentaux qui ont tout ce qu'ils veulent, sauf qu'ils n'arrivent plus à trouver de satisfaction sexuelle : ils cherchent, ils cherchent sans arrêt, mais ils ne trouvent rien, et ils en sont malheureux jusqu'à l'os. De l'autre côté tu as plusieurs milliards d'individus qui n'ont rien, qui crèvent de faim, qui meurent jeunes, qui vivent dans des conditions insalubres, et qui n'ont plus rien à vendre que leur corps, et leur sexualité intacte.
[...] Offrir son corps comme un objet agréable, donner gratuitement du plaisir : voilà ce que les Occidentaux ne savent plus faire. Ils ont complètement perdu le sens du don. Ils ont beau s'acharner, ils ne parviennent plus à ressentir le sexe comme naturel. Non seulement ils ont honte de leur propre corps, qui n'est pas à la hauteur des standards du porno, mais, pour les mêmes raisons, ils n'éprouvent plus aucune attirance pour le corps de l'autre. Il est impossible de faire l'amour sans un certain abandon, sans l'acceptation au moins temporaire d'un certain état de dépendance et de faiblesse. L'exaltation sentimentale et l'obsession sexuelle ont la même origine, toutes deux procèdent d'un oubli partiel de soi ; ce n'est pas un domaine dans lequel on puisse se réaliser sans se perdre. Nous sommes devenus froids, rationnels, extrêmement conscients de notre existence individuelle et de nos droits ; nous souhaitons avant tout éviter l'aliénation et la dépendance ; en outre, nous sommes obsédés par la santé et par l'hygiène : ce ne sont pas vraiment les conditions idéales pour faire l'amour.

Chronologie

Voltaire et son temps

1.

Débuts libertins

Voltaire naît François Marie Arouet, à Paris, en 1694, dans un milieu bourgeois et aisé, d'un père notaire. En 1704, alors qu'il a perdu sa mère trois ans plus tôt, il entre au collège des jésuites de Louis-le-Grand, dont les maîtres et l'enseignement le marqueront profondément. Peu de temps avant de quitter le collège pour entamer des études de droit, en 1711, il écrit sa première œuvre, une *Imitation du R. P. Lejay sur sainte Geneviève*, qu'il signe « François Arouet, étudiant en rhétorique et pensionnaire au collège de Louis-le-Grand ». Les débuts du jeune homme dans la société sont ceux d'un libertin. Il fait scandale, pour des histoires amoureuses, tour à tour à Caen dans le salon de Mme d'Osseville et à La Haye où il a suivi l'ambassadeur le marquis de Châteauneuf comme secrétaire, si bien que son père envisage de le faire déporter en Amérique. De retour à Paris en 1714, il entre dans l'étude de Me Alain mais fréquente aussi la société libertine et épicurienne du Temple et des Caumartins. En 1715, à la mort de Louis XIV, il commence à travailler à *Œdipe*, sa première tragédie, et à ce qui deviendra *La Henriade*, épopée nationale dont il veut doter la France. Toutefois, l'année suivante, il se rend aussi coupable d'écrits satiriques sur les amours du Régent qui lui valent d'être exilé hors de Paris puis emprisonné à la Bastille pour onze mois. C'est là que François Arouet adopte le pseudonyme de Voltaire, anagramme d'AROVET Le Ieune, le U et le J se notant encore V et I au XVIIIe siècle. À sa libération, *Œdipe* connaît un grand succès. De 1719 à 1723, la mort du père succède à de nombreux séjours de château en château, puis la petite vérole à des voyages à Bruxelles et La Haye. En 1725, la protection de Mme de Prie lui vaut d'assister au mariage de Louis XV, dont cette puissante femme est l'instigatrice, et de voir jouer trois de ses pièces en cette royale occasion.

1715	Mort de Louis XIV.
1715-1723	Régence du duc d'Orléans.
1719	Fondation de la Compagnie des Indes. Daniel Defoe, *Robinson Crusoé*.
1721	Montesquieu, *Lettres persanes*.
1722	Marivaux, *La Surprise de l'amour*, premier grand succès au théâtre.
1723	Avènement de Louis XV.
1724	Début de la publication de *Gil Blas* de Alain-René Lesage, issu de la veine picaresque espagnole.

2.

L'exil et l'amour

Le succès de Voltaire ne le fait pas rompre avec ses frasques de jeunesse : en 1726, à la suite d'une querelle avec le chevalier de Rohan concernant la comédienne Adrienne Lecouvreur, il est bâtonné par les domestiques de son adversaire, et, alors qu'il réclame justice et cherche à provoquer le chevalier en duel, une lettre de cachet l'expédie à nouveau à la Bastille. Il s'exile finalement en Angleterre où il apprend l'anglais, découvre Shakespeare, Newton, la liberté de pensée et un régime politique qui lui semble exemplaire, la monarchie constitutionnelle. En 1728, quelques mois avant son retour en France, paraît *La Henriade*, consacrant Voltaire poète. En 1732, la tragédie *Zaïre* en fait le successeur de Corneille et de Racine. L'année 1733 est une année importante : Voltaire se met à dos une partie des gens de lettres, écrit, à partir de son expérience anglaise, les *Lettres philosophiques*, mais surtout se lie avec Mme du Châtelet, mathématicienne, traductrice de Newton, avec qui il entretiendra une liaison à la fois amoureuse et intellectuelle pendant seize ans. C'est notamment sous son influence qu'il s'intéresse à la philosophie scientifique. La parution des *Lettres philosophiques* en 1734, qui contiennent une critique des institutions politiques et religieuses françaises, l'oblige à se réfugier dans le château de Mme du Châtelet à Cirey, en Lorraine. C'est là que naissent un bon nombres d'œuvres de Voltaire : son poème satirique *Le Mondain*, dont la publication le contraint à se réfugier quelques temps en Hollande, son *Traité de métaphysique*, ses *Éléments de la philosophie de Newton*, ses *Discours en vers sur l'homme*, de multiples tragédies et comédies. En 1739, alors que Voltaire et Mme du Châtelet se partagent entre Cirey, Paris et la Belgique, l'édition des premiers chapitres de son ouvrage historique *Le Siècle de Louis XIV* sont saisis. L'année suivante, Voltaire rencontre pour la première fois Frédéric II, roi de Prusse, avec qui il entretient une correspondance depuis 1736, et ses voyages s'infléchissent vers l'est : Remusberg, Berlin. Voltaire va alors être chargé officieusement de plusieurs missions diplomatiques auprès de Frédéric II : il doit le convaincre de ne pas quitter l'alliance française dans la guerre de Succession d'Autriche. À partir de 1744, Voltaire — dont Mme de Pompadour assure la protection et dont l'ancien condisciple, le marquis d'Argenson, est devenu ministre de la Guerre — est en crédit à la cour : il est nommé historiographe du roi puis « gentilhomme ordinaire de la chambre du roi », est élu à l'Académie française. Mais son règne s'achève en 1747, quand un « vous jouez avec des filous » lâché au jeu de la reine provoque sa disgrâce et l'oblige à fuir chez la duchesse du Maine à Sceaux. Pour la distraire, il écrit des contes : dans *Zadig*, il transpose ses malheurs de courtisans. En 1748, son éloignement forcé de Paris le mène à Lunéville, à la cour du roi Stanislas. Là, Mme du Châtelet a une liaison avec le poète Saint-Lambert (Voltaire quant à lui entretient une liaison secrète avec sa nièce, Mme Denis, depuis deux ans) ; elle tombe enceinte et meurt en septembre 1749 quelques jours après avoir mis au monde une fille qui ne survit pas non plus. Voltaire en est désespéré.

1731 Prévost, *Manon Lescaut.*
1731-1741 Marivaux, *La Vie de Marianne.*
1733-1735 Guerre de Succession de Pologne.
1740 Frédéric II devient roi de Prusse. Chardin peint *Le Bénédicité.* En Angleterre, paraît *Pamela,* roman sensible de Richardson.
1744-1758 Guerre coloniale avec l'Angleterre.
1748 Montesquieu, *De l'esprit des lois.*

3.

Les déceptions de Berlin et de Genève

En 1750, Voltaire cède aux instances de Frédéric II, qui le presse depuis longtemps de le rejoindre et part pour Berlin. Il y achève *Le Siècle de Louis XIV,* publié en 1751, et y écrit le conte philosophique *Micromégas,* publié en 1752. Voltaire avait pensé que Frédéric II pourrait réaliser la figure du despote éclairé. Mais ses illusions sont brisées lorsque le monarque ordonne de brûler aux carrefours de Berlin *La Diatribe du docteur Akakia,* pamphlet contre un haut fonctionnaire de l'État prussien, Maupertuis. Voltaire doit quitter la ville et sera retenu prisonnier quelque temps à Francfort. Interdit de séjour à Paris à cause de l'affaire Hirschel, procès entre Voltaire et un spéculateur, il reste un an à Colmar avant de gagner Genève où il s'installe avec Mme Denis dans la propriété des Délices qu'il vient d'acquérir. Mais il n'y a pas de répit pour un homme comme Voltaire : quelques mois après son arrivée, le Grand Conseil de Genève lui reproche les représentations théâtrales données aux Délices, et toujours sensible aux problèmes de l'humanité et soucieux d'y apporter des réponses, il est frappé en 1755 par le meurtrier tremblement de terre de Lisbonne. Il commence aussitôt la rédaction de son *Poème sur le désastre de Lisbonne*, qui attaque l'idée de Providence défendue par Rousseau, et entame également sa collaboration à l'*Encyclopédie*. L'année 1756 voit le début de la guerre de Sept Ans contre l'Angleterre, dans laquelle Voltaire joue un rôle d'abord en essayant de sauver l'amiral anglais Byng, accusé de trahison, puis en étant chargé des négociations de paix avec la Prusse. En 1757, l'article « Genève » de l'*Encyclopédie*, que Voltaire a sans doute inspiré à son auteur d'Alembert lors d'un séjour de celui-ci aux Délices l'été précédent, fait scandale. On veut expulser Voltaire, qui achète pour se protéger deux propriétés sur la frontière franco-suisse, à Ferney et à Tourney. En 1759, alors que Voltaire publie *Candide*, le parlement de Paris condamne l'*Encyclopédie* et sa *Loi naturelle*. Le combat des philosophes est engagé.

1750	Jean-Jacques Rousseau, *Discours sur les sciences et les arts*.
1751	Début de publication de l'*Encyclopédie*.
1755	Jean-Jacques Rousseau, *Discours sur l'origine de l'inégalité parmi les hommes*.
1756	Début de la guerre de Sept Ans.
1757	Denis Diderot, *Le Fils naturel*.

4.

Une retraite paradoxale : Ferney et le combat philosophique

Les dix-huit dernières années de sa vie, Voltaire les passe dans son château de Ferney, mais aussi, bien qu'il ne quitte pas sa retraite, dans la bataille philosophique. Il œuvre concrètement pour sa terre d'adoption, le pays de Gex, en faisant assécher les marais, défricher les landes, en développant l'industrie des soieries, en obtenant la suppression de l'impôt de la gabelle, en restaurant l'église du village, en s'occupant des habitants : il prend par exemple la défense d'un jeune homme bastonné chez une veuve par un curé. Épousant Mme Denis en 1760, il adopte la même année Mlle Corneille : pour la doter, il prépare l'édition des œuvres de Corneille avec commentaire. Replié à Ferney où il ne cesse de recevoir ses amis, Voltaire reste en relation constante avec le monde grâce à sa correspondance avec, entre autres, d'Alembert, Diderot, Turgot, Frédéric II et Catherine II. Il devient, à distance, grâce à ses actions et à ses œuvres, l'avocat des victimes des préjugés religieux et sociaux sous le mot d'ordre « Écrasons l'Infâme ». Il s'occupe de près de l'affaire Calas et de celle du chevalier de La Barre (voir la partie « Mouvement littéraire »). C'est dans ce contexte que Voltaire écrit, en 1767, *L'Ingénu.* Une autre affaire, l'affaire Sirven, débutant au même moment que l'affaire Calas et semblable à elle (puisqu'il s'agit d'un homme accusé d'avoir tué sa fille handicapée mentale parce qu'elle voulait se convertir au catholicisme), aboutit à un acquittement en 1771. Cette période d'intense activité philosophique, judiciaire et littéraire, marquée par la publication des contes *L'Homme aux quarante écus* et *La Princesse de Babylone* en 1768 et surtout des *Questions sur l'« Encyclopédie » par des amateurs*, complément au *Dictionnaire philosophique* entre 1770 et 1772, est interrompue par une crise de strangurie, qui prive Voltaire d'une très grande partie de son exceptionnelle force de travail.

En février 1778, quatre ans après la mort de Louis XV, Voltaire revient à Paris, déchaînant l'enthousiasme. Plusieurs centaines de personnes lui rendent d'épuisantes visites. Il a cependant encore le temps de voir triompher sa dernière tragédie, *Irène*, de proposer à l'Académie française un projet de nouveau dictionnaire, d'être reçu maçon à la loge des Neuf-Sœurs. Il meurt le 10 mai 1778, après avoir reçu l'absolution mais refusé la communion. Dans un premier temps, on refuse qu'il soit inhumé en terre chrétienne ; cependant son neveu, abbé, parvient à le faire enterrer dans son abbaye de Scellières. Enfin, trois jours avant le deuxième anniversaire de la prise de la Bastille, le transfert de ses cendres au Panthéon est l'occasion d'une fête révolutionnaire.

1761	Rousseau, *Julie ou La Nouvelle Héloïse*. Jean-Baptiste Greuze peint *L'Accordée de village*.
1762	Catherine II devient tsarine. Rousseau, *Du Contrat social*.
1763	Traité de Paris marquant la fin de la guerre de Sept Ans, la France perd ses colonies indiennes et canadiennes au profit de l'Angleterre ; condamnation des francs-maçons et expulsion des jésuites.

1765 Denis Diderot commence *Jacques le Fataliste*, qui paraîtra de 1778 à 1780.
1768-1769 Louis-Antoine Bougainville, *Voyage*.
1768-1779 James Cook, *Voyage*.
1774 Avènement de Louis XVI.
1776 Indépendance des États-Unis.

Sur Voltaire

Voltaire en son temps, sous la direction de René Pomeau, cinq volumes, Oxford, Voltaire Foundation, 1985-1994.

Éléments pour une fiche de lecture

Regardez le tableau

- Quel autre nom pourriez-vous donner au personnage ?
- Avec White Cloud, Catlin nous offre le portrait d'un grand chef. Cherchez dans la peinture française et européenne des équivalents de cette représentation du pouvoir : pour vous aider, pensez à la période de la royauté... Tentez de rendre compte des similitudes que vous observez, au-delà des divergences culturelles.
- Examinez les nombreux accessoires qui composent l'accoutrement du chef des Iowas, montrez en quoi ils sont des signes distinctifs de sa position sociale, et expliquez ce qu'ils symbolisent (force, courage, richesse...).
- Cette peinture, par son sujet et ses couleurs folkloriques, pourrait constituer un cliché sur les Indiens. Pourtant, le peintre arrive à mettre en exergue la dignité de White Cloud et celle de son peuple : dites comment, en vous appuyant sur sa posture, sa physionomie, son regard, etc.

Le paratexte

- Qu'est-ce qu'un ingénu ? Le mot a-t-il le même sens dans la langue du XVIIIe siècle qu'aujourd'hui ? Pourquoi Voltaire nomme-t-il ainsi son personnage ?
- Le sous-titre : *L'Ingénu* est-il vraiment une « histoire véritable » ? Qui est le père Quesnel ? Quel est l'intérêt pour Voltaire de se masquer et d'attribuer son texte au père Quesnel ?

L'histoire : situation spatio-temporelle

- En vous aidant du titre des différents chapitres, faites un résumé de l'histoire de l'Ingénu.
- À quelle époque cette histoire se déroule-t-elle et pourquoi ?
- Quels sont les lieux dans lesquels se déroule l'histoire ? Quelle est la fonction de chacun dans la structure du conte ? Quelle est la portée symbolique de chacun ? À quel pays s'oppose la France et pourquoi ?

Structure et rythme du récit

- En combien de mouvements différents le conte s'organise-t-il ? Quels sont les éléments qui déterminent cette structure ?
- Quel chapitre de la première partie joue le rôle d'accélérateur du récit ?
- Montrez que les chapitres 10 à 14 constituent une pause dans la narration.

Les personnages

- Quels sont les noms successifs du personnage principal ? Quelle est la signification de ces différentes dénominations ? L'Ingénu est-il un vrai « bon sauvage » ?
- Quel est le schéma actantiel du conte, ou encore quelle fonction a chaque personnage par rapport à l'action ? Qui sont les adjuvants, les héros, les opposants, l'objet de la quête, etc. ?
- Les personnages principaux — l'Ingénu, Mlle de Saint-Yves, Gordon — évoluent-ils ? Relevez les traits de leur caractère dans chaque partie du conte.

Genre et registres

- Combien de registres sont-ils mis en œuvre dans *L'Ingénu* ?
- Quels sont les éléments qui rattachent *L'Ingénu* au genre de la nouvelle historique ?
- Quelles sont les différentes cibles de la satire voltairienne ? Sont-elles toutes l'objet d'une critique aussi féroce ?
- En quoi *L'Ingénu* est-il aussi un roman sensible ?
- Qu'est-ce qui fait de ce conte un roman d'éducation ?
- En quoi la variété des genres et des registres mais aussi la conduite du récit dénaturent-elles le conte philosophique ?

Lectures complémentaires

- Voltaire avait déjà raconté les malheurs d'un courtisan dans *Zadig*, en 1748. Comparez les aventures de ce sage babylonien à celles de l'Ingénu à la cour.

- Quels sont les points communs entre l'Ingénu et Candide, autre héros éponyme d'un conte de Voltaire ? On a cependant pu dire que l'Ingénu est un anti-Candide : pourquoi selon vous ?

Sujet de réflexion

- Le conte se clôt sur deux maximes opposées : « Malheur est bon à quelque chose » et « Malheur n'est bon à rien ». Quelle est celle qui convient le mieux au dénouement ? Quel message sur la vie et la mort énonce ici Voltaire ?

Collège

Combats du 20e siècle en poésie (anthologie) (161)
Fabliaux (textes choisis) (37)
Gilgamesh et Hercule (217)
La Bible (textes choisis) (49)
La Farce de Maître Pathelin (146)
La poésie sous toutes ses formes (anthologie) (253)
Le tour du monde en poésie (anthologie) (283)
Le Livre d'Esther (249)
Les Quatre Fils Aymon (208)
Les récits de voyage (anthologie) (144)
Mère et fille (Correspondances de Mme de Sévigné, George Sand, Sido et Colette) (anthologie) (112)
Poèmes à apprendre par cœur (anthologie) (191)
Poèmes pour émouvoir (anthologie) (225)
Schéhérazade et Aladin (192)
ALAIN-FOURNIER, *Le grand Meaulnes* (174)
Jean ANOUILH, *Le Bal des voleurs* (113)
Marcel AYMÉ, *Les contes du chat perché* (6 contes choisis) (268)
Marcel AYMÉ, Ray BRADBURY, Dino BUZZATI, *3 nouvelles sur le temps* (240)
Honoré de BALZAC, *L'Élixir de longue vie* (153)
Henri BARBUSSE, *Le Feu* (91)
Joseph BÉDIER, *Le Roman de Tristan et Iseut* (178)
Henri BOSCO, *L'Enfant et la Rivière* (272)
John BOYNE, *Le Garçon en pyjama rayé* (279)
Lewis CARROLL, *Les Aventures d'Alice au pays des merveilles* (162)
Blaise CENDRARS, *Faire un prisonnier* (235)

DANS LA MÊME COLLECTION

Samuel de CHAMPLAIN, *Voyages au Canada* (198)
CHRÉTIEN DE TROYES, *Le Chevalier au Lion* (2)
CHRÉTIEN DE TROYES, *Lancelot ou le Chevalier de la Charrette* (133)
CHRÉTIEN DE TROYES, *Perceval ou Le Conte du Graal* (195)
Jean COCTEAU, *Antigone* (280)
COLETTE, *Dialogues de bêtes* (36)
Joseph CONRAD, *L'Hôte secret* (135)
Pierre CORNEILLE, *Le Cid* (13)
Charles DICKENS, *Un chant de Noël* (216)
Roland DUBILLARD, *La Leçon de piano et autres diablogues* (160)
Alexandre DUMAS, *La Tulipe noire* (213)
ÉSOPE, Jean de LA FONTAINE, Jean ANOUILH, *50 Fables* (186)
Georges FEYDEAU, *Feu la mère de Madame* (188)
Georges FEYDEAU, *Un fil à la patte* (226)
Gustave FLAUBERT, *Trois Contes* (6)
Romain GARY, *La promesse de l'aube* (169)
Théophile GAUTIER, *3 contes fantastiques* (214)
Jean GIONO, *L'Homme qui plantait des arbres + Écrire la nature* (anthologie) (134)
Nicolas GOGOL, *Le Nez. Le Manteau* (187)
Jacob et Wilhelm GRIMM, *Contes* (textes choisis) (72)
Ernest HEMINGWAY, *Le vieil homme et la mer* (63)
HOMÈRE, *Odyssée* (18)
HOMÈRE, *Iliade* (textes choisis) (265)
Victor HUGO, *Claude Gueux* suivi de *La Chute* (15)
Victor HUGO, *Jean Valjean (Un parcours autour des* Misé*rables)* (117)
Victor HUGO, *L'Intervention* (236)
Thierry JONQUET, *La Vie de ma mère !* (106)

DANS LA MÊME COLLECTION

Charles JULIET, *L'Année de l'éveil* (243)
Joseph KESSEL, *Le Lion* (30)
Jean de LA FONTAINE, *Fables* (34)
Maurice LEBLANC, *Arsène Lupin, gentleman-cambrioleur* (252)
J. M. G. LE CLÉZIO, *Mondo et autres histoires* (67)
Gaston LEROUX, *Le Mystère de la chambre jaune* (4)
Jack LONDON, *Loup brun* (210)
Guy de MAUPASSANT, *9 nouvelles légères* (251)
Guy de MAUPASSANT, *12 contes réalistes* (42)
Guy de MAUPASSANT, *Boule de suif* (103)
Guy de MAUPASSANT, *Nouvelles animalières* (290)
MOLIÈRE, *Les Fourberies de Scapin* (3)
MOLIÈRE, *Le Médecin malgré lui* (20)
MOLIÈRE, *Trois courtes pièces* (26)
MOLIÈRE, *L'Avare* (41)
MOLIÈRE, *Les Précieuses ridicules* (163)
MOLIÈRE, *Le Sicilien ou l'Amour peintre* (203)
MOLIÈRE, *George Dandin ou Le Mari confondu* (218)
MOLIÈRE, *Le Malade imaginaire* (227)
Alfred de MUSSET, *Fantasio* (182)
Alfred de MUSSET, *Les Caprices de Marianne* (245)
George ORWELL, *La Ferme des animaux* (94)
OVIDE, *Les Métamorphoses* (231)
Amos OZ, *Soudain dans la forêt profonde* (196)
Louis PERGAUD, *La Guerre des boutons* (65)
Charles PERRAULT, *Contes de ma Mère l'Oye* (9)
Edgar Allan POE, *6 nouvelles fantastiques* (164)
Alexandre POUCHKINE, *La Dame de pique* (267)
Jacques PRÉVERT, *Paroles* (29)
Jules RENARD, *Poil de Carotte* (66)

Lycée

Série Classiques

DANS LA MÊME COLLECTION

Encyclopédie ou *Dictionnaire raisonné des sciences, des arts et des métiers* (textes choisis) (142)

La poésie baroque (anthologie) (14)

La poésie de la Renaissance (anthologie) (271)

La poésie symboliste (anthologie) (266)

Dire l'amour (anthologie) (284)

Les grands manifestes littéraires (anthologie) (175)

Le sonnet (anthologie) (46)

Le Sport, miroir de la société ? (anthologie) (221)

L'intellectuel engagé (anthologie) (219)

Nouvelles formes du récit. Anthologie de textes des 50 dernières années (248)

Paroles, échanges, conversations, et révolution numérique (textes choisis) (237)

Guillaume APOLLINAIRE, *Alcools* (238)

Honoré de BALZAC, *La Peau de chagrin* + *Ces objets qui nous envahissent... Objets cultes, culte des objets* (anthologie) (11)

Honoré de BALZAC, *La Duchesse de Langeais* (127)

Honoré de BALZAC, *Le roman de Vautrin* (Textes choisis dans *La Comédie humaine*) (183)

Honoré de BALZAC, *Le Père Goriot* (204)

Honoré de BALZAC, *La Recherche de l'Absolu* (224)

Jules BARBEY D'AUREVILLY, Prosper MÉRIMÉE, *Deux réécritures de Don Juan* (278)

René BARJAVEL, *Ravage* (95)

Charles BAUDELAIRE, *Les Fleurs du Mal* (17)

Charles BAUDELAIRE, *Le Spleen de Paris* (242)

BEAUMARCHAIS, *Le Mariage de Figaro* (128)

BEAUMARCHAIS, *Le Barbier de Séville* (273)

DANS LA MÊME COLLECTION

DANS LA MÊME COLLECTION

Marguerite DURAS, *La douleur* (212)
Marguerite DURAS, *La Musica* (241)
Paul ÉLUARD, *Capitale de la douleur* (126)
Paul ÉLUARD, MAN RAY, *Les Mains libres* (256)
Annie ERNAUX, *La place* (61)
Marie FERRANTI, *La Princesse de Mantoue* (262)
Gustave FLAUBERT, *Madame Bovary* (33)
Gustave FLAUBERT, *Écrire* Madame Bovary *(Lettres, pages manuscrites, extraits)* (157)
André GIDE, *Les Faux-Monnayeurs* (120)
André GIDE, *La Symphonie pastorale* (150)
E. T. A. HOFFMANN, Jules JANIN, Honoré de BALZAC, Hector BERLIOZ, George SAND, *6 moments musicaux* (289)
Victor HUGO, *Hernani* (152)
Victor HUGO, *Mangeront-ils ?* (190)
Victor HUGO, *Pauca meae* (209)
Victor HUGO, *Hugo orateur* (anthologie) (285)
Eugène IONESCO, *Rhinocéros* (73)
Eugène IONESCO, *Macbett* (250)
Philippe JACCOTTET, *À la lumière d'hiver* (222)
Sébastien JAPRISOT, *Un long dimanche de fiançailles* (27)
Alfred JARRY, *Ubu roi* (291)
Charles JULIET, *Lambeaux* (48)
Franz KAFKA, *Lettre au père* (184)
Maylis de KERANGAL, *Corniche Kennedy* (282)
Eugène LABICHE, *L'Affaire de la rue de Lourcine* (98)
Eugène LABICHE, *La Dame aux jambes d'azur* (277)
Jean de LA BRUYÈRE, *Les Caractères* (24)
Madame de LAFAYETTE, *La Princesse de Clèves* (39)
Madame de LAFAYETTE, *La Princesse de Montpensier* (287)

LE SAGE, *Le Diable boiteux* (275)
Louis MALLE et Patrick MODIANO, *Lacombe Lucien* (147)
André MALRAUX, *La Condition humaine* (108)
MARIVAUX, *L'Île des Esclaves* (19)
MARIVAUX, *La Fausse Suivante* (75)
MARIVAUX, *La Dispute* (181)
MARIVAUX, *Les Acteurs de bonne foi* (293)
Guy de MAUPASSANT, *Le Horla* (1)
Guy de MAUPASSANT, *Pierre et Jean* (43)
Guy de MAUPASSANT, *Bel-Ami* (211)
Guy de MAUPASSANT, *Une vie* (274)
Herman MELVILLE, *Bartleby le scribe* (201)
MOLIÈRE, *L'École des femmes* (25)
MOLIÈRE, *Le Tartuffe* (35)
MOLIÈRE, *L'Impromptu de Versailles* (58)
MOLIÈRE, *Amphitryon* (101)
MOLIÈRE, *Le Misanthrope* (205)
MOLIÈRE, *Les Femmes savantes* (223)
Dominique MONCOND'HUY, *Petite histoire de la caricature de presse en 40 images* (288)
Michel de MONTAIGNE, *Des cannibales + La peur de l'autre* (anthologie) (143)
MONTESQUIEU, *Lettres persanes* (56)
MONTESQUIEU, *Essai sur le goût* (194)
Alfred de MUSSET, *Lorenzaccio* (8)
Alfred de MUSSET, *On ne badine pas avec l'amour* (286)
Irène NÉMIROVSKY, *Suite française* (149)
Georges ORWELL, *1984* (281)
OVIDE, *Les Métamorphoses* (55)
Blaise PASCAL, *Pensées* (Liasses II à VIII) (148)
Pierre PÉJU, *La petite Chartreuse* (76)
Daniel PENNAC, *La fée carabine* (102)

DANS LA MÊME COLLECTION

Georges PEREC, *Quel petit vélo à guidon chromé au fond de la cour ?* (215)
Luigi PIRANDELLO, *Six personnages en quête d'auteur* (71)
Francis PONGE, *Le parti pris des choses* (170)
Abbé PRÉVOST, *Manon Lescaut* (179)
Marcel PROUST, *Du côté de chez Swann* (246)
Raymond QUENEAU, *Zazie dans le métro* (62)
Raymond QUENEAU, *Exercices de style* (115)
Pascal QUIGNARD, *Tous les matins du monde* (202)
François RABELAIS, *Gargantua* (21)
Jean RACINE, *Andromaque* (10)
Jean RACINE, *Britannicus* (23)
Jean RACINE, *Phèdre* (151)
Jean RACINE, *Mithridate* (206)
Jean RACINE, *Bérénice* (228)
Raymond RADIGUET, *Le Bal du comte d'Orgel* (230)
Rainer Maria RILKE, *Lettres à un jeune poète* (59)
Arthur RIMBAUD, *Illuminations* (193)
Edmond ROSTAND, *Cyrano de Bergerac* (70)
SAINT-SIMON, *Mémoires* (64)
Nathalie SARRAUTE, *Enfance* (28)
Jorge SEMPRUN, *L'Écriture ou la vie* (234)
William SHAKESPEARE, *Hamlet* (54)
William SHAKESPEARE, *Macbeth* (259)
William SHAKESPEARE, *Roméo et Juliette* (292)
SOPHOCLE, *Antigone* (93)
SOPHOCLE, *Œdipe Roi + Le mythe d'Œdipe* (anthologie) (264)
STENDHAL, *La Chartreuse de Parme* (74)
STENDHAL, *Vanina Vanini et autres nouvelles* (200)
STENDHAL, *Le Rouge et le Noir* (296)
Michel TOURNIER, *Vendredi ou les limbes du Pacifique* (132)

Paul VALÉRY, *Charmes* (294)
Vincent VAN GOGH, *Lettres à Théo* (52)
VOLTAIRE, *Candide ou l'Optimisme* (7)
VOLTAIRE, *L'Ingénu* (31)
VOLTAIRE, *Micromégas* (69)
Émile ZOLA, *Thérèse Raquin* (16)
Émile ZOLA, *L'Assommoir* (140)
Émile ZOLA, *Au Bonheur des Dames* (232)
Émile ZOLA, *La Bête humaine* (239)
Émile ZOLA, *La Curée* (257)
Émile ZOLA, *La Fortune des Rougon* (297)

Série Philosophie

Notions d'esthétique (anthologie) (110)
Notions d'éthique (anthologie) (171)
ALAIN, *44 Propos sur le bonheur* (105)
Hannah ARENDT, *La Crise de l'éducation* extrait de *La Crise de la culture* (89)
ARISTOTE, *Invitation à la philosophie (Protreptique)* (85)
Walter BENJAMIN, *L'œuvre d'art à l'époque de sa reproductibilité technique* (123)
Émile BENVENISTE, *La communication*, extrait de *Problèmes de linguistique générale* (158)
Albert CAMUS, *Réflexions sur la guillotine* (136)
René DESCARTES, *Méditations métaphysiques* – « 1, 2 et 3 » (77)
René DESCARTES, *Des passions en général*, extrait de *Les Passions de l'âme* (129)
René DESCARTES, *Discours de la méthode* (155)
Denis DIDEROT, *Le Rêve de d'Alembert* (139)
Émile DURKHEIM, *Les règles de la méthode sociologique* – « Préfaces, chapitres 1, 2 et 5 » (154)

DANS LA MÊME COLLECTION

DANS LA MÊME COLLECTION

Friedrich NIETZSCHE, *Vérité et mensonge au sens extra-moral* (139)

Blaise PASCAL, *Trois discours sur la condition des Grands* et six liasses extraites des *Pensées* (83)

PLATON, *La République* – « Livres 6 et 7 » (78)

PLATON, *Le Banquet* (109)

PLATON, *Apologie de Socrate* (124)

PLATON, *Gorgias* (159)

Jean-Jacques ROUSSEAU, *Discours sur l'origine et les fondements de l'inégalité parmi les hommes* (82)

SAINT AUGUSTIN, *La création du monde et le temps* – « Livre XI, extrait des *Confessions* » (88)

Baruch SPINOZA, *Lettres sur le mal* – « Correspondance avec Blyenbergh » (80)

Alexis de TOCQUEVILLE, *De la démocratie en Amérique I* – « Introduction, chapitres 6 et 7 de la deuxième partie » (97)

Simone WEIL, *Les Besoins de l'âme*, extrait de *L'Enracinement* (96)

Ludwig WITTGENSTEIN, *Conférence sur l'éthique* (131)

Pour plus d'informations,
consultez le catalogue à l'adresse suivante :
http://www.gallimard.fr

Composition Interligne
Impression Novoprint
à Barcelone, le 7 novembre 2017
Dépôt légal: novembre 2017
1er dépôt légal dans la collection: octobre 2004

ISBN 978-2-07-031522-2./Imprimé en Espagne.

330665